# 行かずに死ねるか！

## 世界9万5000km自転車ひとり旅

石田ゆうすけ

幻冬舎文庫

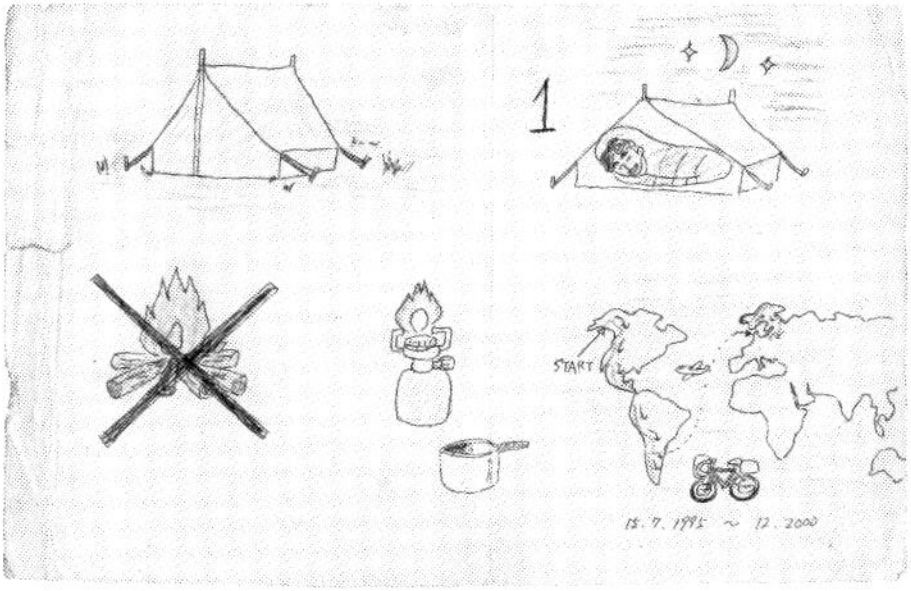


言葉の不安な土地で
テントを張る場所をお願いする
ときに使った説明用の絵。

行かずに死ねるか！　目次

第一章　アメリカ大陸・9

第四章　アフリカ・181

本文デザイン――太田竜郎　口絵写真――石田ゆうすけ／渡辺誠司／浅野剛正

# 第一章
# アメリカ大陸

01

# 「金出しな」——一年目・七月

空港の外に出た瞬間、エッ？　と声を上げそうになった。

「……ここ、本当にアラスカなの？」

肌がヒリヒリするような暑さなのだ。これじゃ日本の夏と変わらないではないか。いや、日差しなんかは日本より強いんじゃないか？

アラスカには寒いというイメージしかなかったので、すっかり意表を突かれた。そのあと急に、ふつふつと笑いがこみ上げ、頰《ほお》がむずがゆくなってきた。ぼくは猛暑の日本を出るときから、毛糸の靴下をはいてフリースの上下を着込み、完全武装していたのである。

それらを脱いでさっさとTシャツと短パン姿になり、空港ロビーを出たところで出発準備にとりかかった。段ボール箱から自転車のフレームやタイヤを取り出し、慎重に組み立てていく。

それにしてものどかだ。同じ飛行機に乗ってきた人たちが出払ってしまうと、鉄道駅のような小さな空港内はガランとしてしまった。

小鳥がチュンチュンと鳴きながらロビーを出たり入ったりしている。目の前には荒野が広がり、遠くには黒々とした針葉樹の森が見える。あれがタイガというやつだろう。さらにその向こうには鋭く切り立った青い山があり、高い空が広がっている。日本の空とは違う。なんとなく、空気が薄そうだ。

自転車が完成すると次は荷物だ。バッグが六つ。キャンプ用具に防寒具、着替え、文庫本に辞書、カメラ、工具、薬――全部で四十キロ以上はあるだろうか。慣れない手つきでそれらをなんとか取りつけると、自転車を押して道路に出た。

飛行機の滑走路のような広い道が一直線にのびている。清潔感にあふれ、どこか味気ない。アメリカだな、と思う。

「いよいよだな……」

心のなかでつぶやき、静かにペダルを踏みだす。自転車はのっそりと動き始める。と、次の瞬間、

「なんやこれ!?」

ハンドルがぐらぐら揺れて、コントロールがきかない。なんという重さだ。目の前にガードレールが迫ってきた。慌ててブレーキをかける。自転車がとまったとたん、乾いた風が背中に吹きつけた。ヒュウウウ……。

「こ、これで、走っていくんか……」

まるでふたり乗りをしているような気分だ。これは、考えていたほどロマンチックな旅じゃないぞ……。

もう一度、おそるおそる自転車をこぎだす。ふらふらと、今度は車道のほうに吸い寄せられ、「パパァーッ!」と耳をつんざくようなクラクションが背後で鳴った。同時に車が猛スピードでぼくのわきを走り抜けていく。全身から冷や汗がにじみ出てきた。

「あ、慌てることはないのだ」

ペダルをこぎながら自分に言い聞かせた。今日はたかだか二〇キロ先のアンカレジまでだ。たいした距離じゃないし、まだ夕方の四時ではないか……。

少し走ると大きな交差点に出た。どっちの道を行けばいいのかさっぱりわからない。と、そこへ前方からひとりの黒人女性が歩いてきた。恐ろしく派手な女だ。ショッキングピンクのへそ出しタンクトップにホットパンツ……やっぱり妙な感じだ。アラスカのイメージがどんどん変わっていく。

女は黒いサングラスをかけ、だらしなくガムを嚙んでいる。どこか危険なニオイがするものの、ぼくの目はタンクトップから飛び出ているロケット弾頭のような胸に吸い寄せられた。

彼女に道を聞いてみようか、と思った。ひょっとしたら、おもしろい展開が待っているかもしれない。なんたってここは自由の国アメリカだからな……。

顔がニヤつかないよう気をつけながら、ぼくはさわやかな好青年を装って声をかけた。

「エクスキューズミー」

女は返事をせず、ガムをくちゃくちゃ嚙み続け、ぼくを上から下までねめつけた。サングラスが不気味に光っている。

――やっぱり、やばいヤツに声をかけちゃったみたい……。

無言の威圧感に、甘い妄想は一瞬で吹き飛んでしまった。しかし、いまさら引き下がるわけにもいかない。しどろもどろになりながら、重ねて聞いてみた。

「アー、ウィッチウェイ、トゥ、ダウンタウン《市内へはどの道を行けばいいんですか》？」

女は退屈そうに両手を頭のうしろにまわしてのびをした。モジャモジャの脇毛が見え、ぼくはますます憂鬱《ゆううつ》な気分になった。女はだらしなくガムを嚙み続けながら、言った。

「ギミーワンダラー」

「え？」

「ギヴ、ミー、ワンダラー」

「…………」

金出しな――アメリカに来て初めて会った現地の人間から言われた台詞《セリフ》が、これだ。道を聞いただけなのに……。

相手の顔を見つめた。女は相変わらず無表情でガムをくちゃくちゃ噛んでいる。ぼくは声をしぼり出すようにしてなんとか答えた。

「ノーサンキュー」

金をよこせと言われてなんで「ノーサンキュー」なんじゃい!?

顔が熱く火照《ほて》るのを感じながら、逃げるように地面を蹴り、ペダルをこぎだした。流れていく灰色のアスファルトを見つめているうちに、だんだん気が滅入《めい》ってきた。なんなんだよ、この幕開けは……。

ふいに、日本を出る前に起こったハプニングが頭に浮かんできた。

――あれは、やっぱり不吉な前兆だったのだろうか？

ペダルがますます重く感じられてきた。そう、この旅は始める前から、おかしな具合だったのだ……。

02
## 出発前の大騒動

出発まで一ヵ月を切った、ある日のことだ。

ぼくはまだサラリーマンをやっており、退職を十日後に控えていた。仕事の引継ぎや事務処理でバタバタと忙しく、その日も自宅に帰ったのは深夜だった。

「まったく、どうせ辞めるのに、なんでこんなに仕事をしているんじゃ……」

内心そうぼやきながらネクタイを外し、トイレに入って用を足した、そのときである。

「ウオオオオオオオッ！」

気がつけば、ぼくはトイレのなかで思いっきり絶叫していた。ションベンが真っ赤だったのだ。

「な、なんでいまごろ……」

腎臓の持病が再発したのだ。ナッツクラッカー症候群という病気で、それほど深刻なものではないのだが、いったん血尿が出ると、一、二週間入院して投薬を受けなければならない。

ここ二年は症状が出ていなかったので、自然に治ったのだろうと思っていた。半年前に病院に行って検査してもらったときも問題はなかった。それなのに……。

「なんでこんな土壇場《どたんば》で再発するんや……」

便器に腰かけ、頭に手をあてた。こんな体で自転車世界一周だって？ 冗談じゃない。いや、それより、あと十日で会社から放り出され、社会保険も切れてしまうのだ。旅の資金は入院費に消えていくに違いない。夢は破れ、職も失い、人生に絶望、廃人へ向かって一直線、うああ……。

妄想がどんどんふくらんでいく。何者かに足を引っ張られ、暗い沼の底に堕《お》ちていくような気分だった。そのとき、過去の記憶がよみがえってきた。

「あの占いババアの予言は本当やったんや……」


占いババアとは、以前、精神病院で知り合ったオバハンのことだ。学生時代、ぼくはその病院で患者の介助や話し相手をするというアルバイトをしていた。

そのオバハンはいつも茶色のチャンチャンコを着ていた。入院患者だったが、様子はいたってフツーで、なぜそこに入院しているのかわからないぐらいだった。ただ、オバハンには特殊な能力があった。霊感が強く、人の顔を見るだけでその人の過去や未来が見えるという。院内では当たる当たると評判だった。

ぼくは占いにまるで興味がなかったので、見てもらおうとは思わなかったのだが、あるときオババハンは色黒の細い顔をグイとこっちに近づけ、頼みもしないのに勝手に占いを始めた。

「あなた、内臓のどこかに持病があるでしょ」

当たっている……。

「これまで三人の女性とつきあった」

うーむ……。

そうやってオババハンは次々にぼくの過去や性質を言い当てていった。たしかに腕のいい占い師のようである。だが、ぼくの将来についてはまったく予想外のことを言った。

「あなたは幸せに順風満帆《じゅんぷうまんぱん》の人生を送るわ。でも、スリルや冒険とは縁のない人生ね」

そんなバカな、と思った。ぼくには自転車世界一周という夢がある。

一瞬、呆けたあと、急に熱くなってきた。ふふふ、おもろいやないか。

「よーし、上等や。運命を変えてやる。自分の力で変えてやるわ！」

昔からすぐに開き直る癖がぼくにはあった。じつのところ、世界一周旅行はこの時点ではまだ漠然《ばくぜん》と夢に描いているだけだったのだが、オババハンの占いを聞いたとたんに血が騒ぎだし、俄然《がぜん》やる気がわいてきたのである。

しかしそれから五年後、ぼくは世界一周旅行を前に、スーツ姿で便器に腰かけ、悄然《しょうぜん》としている。まさかこんな土壇場で血尿が出るなんて……。

「神様が行くなと言ってるんや。順風満帆の人生に連れ戻そうとしてるんや」

気持ち悪い汗がシャツをぐっしょり湿らせていた。頭を抱えたまま、長いあいだ便器の上から動けなかった。

しばらく様子を見てみたが、三日たっても血尿は止まる気配がなかった。ぼくは肩を落とし、絶望的な気分で病院に向かった。

病院には馴染《なじ》みの医者がいた。ぼくはわらにもすがるような気持ちで、その医者に旅への熱い思いをぶちまけた。この期《ご》に及んでも旅に出たいと訴えている自分が、ひどく見当違いのことを言っているように思えた。

医者はすべてを聞き終わったあと、ポツリと言った。

「出発に間に合わせようや」

「ほ、ほんとっすか!?」

そして緊急入院。これが、出発三週間前のことだ。

03

## さよなら〝安全地帯〟

先生は本当にスペシャルな治療をしてくれた。いつもの二倍以上の薬が点滴で投与され、その結果、四日後にはみごとに血尿が止まったのである。

とはいえ、今後再発しないという保証はまったくなかった。それに、出発直前に血尿が出たという事実はひどく不吉なイメージで脳裏に焼きつき、ぼくは恐怖にかられた。それでも旅をあきらめる気になれなかったのは、いまここでやめたら一生後悔することが目に見えていたからだ。

「もし何かあったら、そのときはそのときじゃ」と思った。

「こうなりゃ絶対やってやる。運命を変えたるんじゃ。血のションベン出しながらでも走ったるわい！」

そうして、退院後はほとんど寝るヒマもなくドタバタと仕事を片づけ、連夜送別会に顔を出し、ヤケクソ気味に自分を出発へと追いたてていったのである。

梅雨が明けたばかりの、ある晴れ上がった日だった。

空港まで見送りに来てくれた友人たちとバカ話をしながら、その一方でぼくはひどくぼんやりしていた。真新しいピカピカの床も、奇妙なほど高い天井もどこか現実感がなく、薄いフィルター越しに見ているようだった。

フライトの時刻が迫った。

友人らの拍手に背中を押されるようにして、ぼくはほとんど放心状態でゲートをくぐった。

飛行機のシートに座ってから、まわりにいる人々を眺めた。みんな〝ガイジン〟だ。急に緊張感が高まってくる。

じつは、ぼくはこれまでに一回しか海外旅行をしたことがない。旅の初心者もいいところなのだ。お金をどこに入れて保管すればいいかもよくわからなかった。さっき空港で友人たちがくれた餞別《せんべつ》は、それぞれ封筒に入ったまま無造作にバッグに押し込んである。まずはそれをどこかに移し替えなくては……。

飛行機が轟音《ごうおん》とともに離陸し、シートベルト着用のサインが消えると、ぼくはバッグを小脇に抱え、急ぎ足でトイレに入り、鍵をかけた。そして便器に座り、封筒を開け、お金を取り出すという作業を始めた。その手が震えているのがわかった。餞別の額が大きかったからではない。ビビッているのだ。何に対してかよくわからないが、心臓が飛び出しそうなくらいドキドキしている。

自分の用意したドルのトラベラーズチェックや現金と合わせ、全部で約七十万円相当あった。さあ、どうしよう？

「た、たしか、お金は肌身離さず持ち歩くように、ってガイドブックに書いてたよな……」

そこでぼくは、肌着の下に巻く貴重品入れに全額押し込むことにした。しかし札束が厚すぎてなかなか入らない。おまけにまだ手が震えている。

「くそっ、なんやこれ、くそっ！」

あせりが募ってますますガタガタ震えだす。

「ええい、アホか！　何をパニクっとるんじゃお前は！」

苦闘の末、ようやくすべて押し込むことに成功し、ふう、と大きな息をついた。はちきれんばかりにふくらんだ貴重品入れをパンツの下に巻き、何食わぬ顔で席に戻る。

目の前のスクリーンにはアメリカのアクション映画が流れていた。ほとんど英語が聞きとれないまま、ぼんやりとそれを見つめる。そのうち、だんだん気持ちが落ち着いてくるにつれ、意識がひどく鮮明になってきた。

とうとう〝安全地帯〟から抜け出したのだ、と思った。

平和で安定した人生はもはや過去のものとなった。ぼくは波乱万丈《はらんばんじょう》の世界に踏み込んだのだ。それがひどく痛快なことに思えた。不思議と、さっきまでの動揺は消えていた。

「ざまあみろ、占いババアめ……」

ぼくは心のなかでニヤニヤ笑いながら、いつしか深い眠りに落ちていった。

04

## 真夜中の恐怖

目が覚めると、見慣れない水色の壁があった。一瞬、ぽかんとなったあと、ようやくいまの状況に思い至った。

——そうだ、ここはアンカレジのユースホステルだ。

ぼくはぐったりした思いで、昨日のことを振り返った。黒人女から金をせびられ、そこから逃れたあとも散々だったのだ。

人々に道を聞くと、みんな親切に教えてくれるのだが、何を言っているのかさっぱり耳に入ってこなかった。英語は得意なつもりだったのだが、彼らの発する音にはまったく周波数が合わないといった感じだ。生きた英語に慣れるまでは、まだしばらくかかるようである。

おかげでひたすら道に迷い、このユースホステルに着いたのは夜の十一時。ベッドの空きを確認したあとは外のベンチに座り込み、長いあいだ動けなかった。

目が覚めたいまも体がひどく重い。時計を見ると、四時——。

「四時？」

慌てて窓の外に視線をやると、光がさんさんと降り注いでいる。どう見ても夕方の四時ではないか。

「ア、アホか、旅の一日目を早くもムダにしてしまったやないか……」

あきれたことに十六時間ぶっ通しで寝てしまったのだ。このところ送別会や出発準備でろくすっぽ寝ていなかったからだが、しかしこっちに来てからというもの、気の滅入ることばかりではないか。

暗澹《あんたん》たる気持ちでベッドから起き、ふらふらと団らん室に行った。ひとりの男がこっちに背を向けて座っている。スーパーの場所でも聞こうと、少し緊張しながら声をかけてみた。

「エクスキューズミー？」

「はい？」

ぼくの英語に日本語が返ってきた。こっちを振り向いた男の顔は、まぎれもなく日本人だ。ぼくは十年来の旧友にでも再会したような気分になり、もうすぐで相手に飛びかかって抱きしめるところだった。

大きなメガネをかけ、『ドラえもん』ののび太にそっくりな男だった。おっとりした外見とは裏腹に、某大学の登山部OBで、二日前までマッキンリー山を登っていたという。

「どうやった？　頂上まで行けた？」

「もちろん！」

のび太は顔をほころばせた。

彼もこれから電車やバスで世界を旅するという。ぼくたちはすっかり意気投合し、そのまま団らん室で話し込んだ。

「どこまで行けるかわからないけど、とりあえず行けるところまで行こうと思ってね」

のび太はおだやかな口調で言う。肩の力が抜け、いかにも自然体で生きているような印象を受ける。

「君はなんでアラスカに？」

とのび太が聞いてきた。

「世界一周のスタートやからな。大陸の一番はしっこにこだわったんや。ほら、ここアメリカの一番北にある空港やろ」

そう答えながら、少し勇壮な気分になってきた。大陸の端から端まで自転車で駆け抜ける。そうして、自分が走ったタイヤのわだちで地球の上に世界地図を描いていくのだ。ここアラスカから、まずは南米最南端のウシュアイアを目指し、そのあとはヨーロッパに飛んで、アフリカ、アジアと走る予定である。

「全部でどのくらいかかるの？」

「うーん、ようわからんなあ。三年か四年かな」

のび太は感心した様子で細い目を大きく開けたあと、あきれたように笑った。ぼくもつられて一緒に笑った。

「でもなんで世界一周なの？」

彼がそう聞いてきたとき、ぼくは言葉につまった。理由はいろいろある。だけど根本の部分はひどく頼りないのだ。ただ、やりたかった。せっかく生まれてきたのだから、世界じゅうを全部この目で見てみたかった。でもそんなことを口にすると、あまりにも単純すぎて、言っている本人でさえしらけてしまう。しかしのび太はその話を聞いて、「うん、わかる」と答えた。ぼくは、つい勢いづいた。

「それと、世界一のものを見つけてみたいんよ」

「え？　何それ？」

「いや、何が世界一かは俺が決めるんやけどね」

自然の景色でも遺跡でもなんでもいい。世界一すてきな町なんてのもどこかにあるだろう。

自分にとって最高の宝。記憶に刻みつけられ、一生の思い出に残るような宝を、世界じゅうを巡って探してみたいのだ。

「うんうん」

のび太はうれしそうに聞いている。

「チャリでまわろうと思ったのはそこやねん。汗かいて、自分の足で探したほうが〝宝〟に出合えたときの喜びも大きいやろ。それにキツい思いをすればそのぶんだけ手ごたえがあるやん。これをやりきったら、たぶん、俺は自分の人生にかなり満足できると思うねん」

話しながら、得意になっている自分に気づいて苦笑せずにはいられなかった。まったく、調子のいい野郎だぜ。さっきまであんなに情けないヤツだったくせに……。

しばらくしゃべったあと、ぼくたちは一緒にスーパーに買い出しに行った。それから宿のキッチンで野菜炒めを作り、ご飯を炊き、一緒に晩メシを食べた。ぼくは自分でも不思議なほど饒舌《じょうぜつ》だった。ビールの酔いも手伝って、ほかの白人旅行者たちがこっちを変な目で見るくらい、ぼくたちは大笑いしながら話した。

しかし、その夜のことだ。

ベッドに入って昂揚《こうよう》した気分が静まると、しだいに胸のなかから黒いモヤモヤしたものが広がってきて、体が震え始めた。広大な大陸をひとり、自転車で走っていく。出発前はロマンにあふれていたそのイメージが、いまはただひたすら恐ろしいものに変わっていた。町から一歩外に出れば途方もなく広い森が始まる。そこには熊もいるのだ。拳銃だってあふれているのだ。

黒いサングラスをかけたあの黒人女が脳裏に浮かんだ。ガムをくちゃくちゃと嚙む音が耳の奥で鳴っている。

右に左に寝返りを打ち続け、前夜とはうって変わり、この夜はついに一睡もできなかったのである。

05

## 広い世界にこぎだしてみれば

アンカレジに来て四日目の朝を迎えた。

のび太は昨日、旅立っていった。今日こそはぼくも出発しようと決めていたが、いつまでもベッドから出られない。無人の大地に自転車でこぎだすところを想像すると、本当に恐ろしくなってくる。強盗や熊に襲われるシーンが、払っても払っても追いかけてくる。

どうしてこんなことを始めてしまったんだろう？　毛布に入ったまま、目の前の壁を見つめる。自分がてんで不向きなことをやろうとしている気がした。あのままサラリーマン生活を続けていたほうがよかったんじゃないだろうか。実際、あの生活に不満があったわけじゃないのだ。

ぼくはある食品会社の営業マンだった。

会社も仕事も嫌いじゃなかった。得意先のスーパーに行って、担当者に「今日はいい天気っすね！」と愛想よく声をかけるのも、カラオケに行って、「カチョー、相変わらず声がシブい！」と拍手喝采《はくしゅかっさい》するのもおもしろがってやっていた。

それに、いわゆる大企業である。そのままいれば食いっぱぐれることなく、結婚して、ガキをつくって、順風満帆の人生を送ることができたのだ。

しかし自転車世界一周の夢はそうそうあきらめられるものじゃなかった。

入社して四年目の春を迎えるころには、貯金の額が目標の五百万円に達していたが、決断するのは相当勇気のいることだった。そのころになると、まわりの同期たちも結婚し始めており、自分だけがとんでもない方向に道を踏み外していくような気がした。

安定した人生をとるか、エキサイティングな人生をとるか――ぼくは「後悔しないほう」という基準で考えた。

会社を辞めた場合、路頭に迷うという不安はある。もしかしたらずいぶんあとになってから後悔するかもしれない。でも生きていくだけならどうにでもなるんじゃないか、とも思う。一方、夢をあきらめた場合、幸せな家庭を築いても、おそらく一生後悔はつきまとうんじゃないだろうか。

天秤にかけてみると、後者の後悔のほうが少しだけ重かった。

辞表を出したとき、上司からは、「こんないい会社を辞めるなんてお前はアホや」と言われた。そうかもしれないと思う反面、妙にスッキリした気分だった。

——そう、ぼくは自分を納得させるために、占いババアのお告げにあえて背いたのだ。だからアラスカくんだりまで来ているのだ。

「もう、行くしかないんじゃ！」

ヤケクソな思いでベッドから起き上がり、バッグに荷物をつめ込み始めた。しかしテンションは長続きしない。ため息をつきながら、だらだらパッキングをやっているうちに、午後三時になってしまった。

自転車を前にしばらく腕組みをする。どうも体がだるい。こんな体調じゃ出発は延期にしたほうがいいかもしれない。腕時計を見る。いくらなんでももう遅すぎるんじゃないの？やっぱり明日にしたほうがええで……。

「ダアアアアッ！　いつまでやっとるんじゃあ！　さっさと行けえっ！」

ぼくは自転車にまたがり、怒りをぶつけるように地面を蹴った。


町を出ると、フリーウェイのような道路が北にのびていた。車の激しい流れにたじろいでしまう。日本とは迫力が違う。巨大な銀色のトレーラーが、ぼくのすぐ横をすさまじい轟音をうならせて走り抜けていく。体じゅうに強い風圧を感じてハンドルをとられ、自転車がグラグラと揺れる。まったく生きた心地がしない。

しかし、その〝激流〟も二時間ほどで終わった。町から遠ざかるにしたがって交通量も減り、緑に囲まれた田舎道に変わる。

リラックスしてくると、アラスカの大自然のなかで自転車をこいでいるという状況が急に新鮮に感じられた。顔を上げてまわりを見渡してみる。緑の平原がどこまでも広がっていくようだった。道路のすぐわきには澄んだ小川が流れている。

自転車をとめた。草むらに座り、水の流れを見ながらしばらく休憩する。四肢に心地よい疲労感があった。せせらぎの音が体に染み入ってくるようだ。

再びペダルをこぎだす。景色が流れ、爽快な風が肌をなでていく。

「やっぱり、自転車ってええな」

心のなかでそうつぶやいたとたん、急におかしくなってきた。ベッドのなかでぐずぐずしていたときの気分とは、えらい違いではないか……。

近くの草むらは素早く流れ、遠くの森はゆっくり動いていた。自分が前に進んでいるのだと実感できた。それがたまらなく快感だった。そう、あれこれ考えていてもしかたがないのだ。とにかく動くことだ。動きだせば、自然に力がわいてくる。そんなことさえ、こっちに来てからはしばらく忘れていた。

「よっしゃ、行ったろう。とことん行ったろう……」

道端の小川に目を移すと、水が勢いよく流れていた。その水と自転車が、同じ速さで進んでいるように見えた。

06

## アラスカの標識――一年目・七月

アラスカのパンフレットや絵ハガキには、よくこんな言葉が書かれている。

「LAST FRONTIER」

最後の未開拓地――。たしかに、アラスカはそのとおりの印象を与えてくれる。

アンカレジを出て二日目には、早くも景色の変化が極端に乏しくなった。視界は針葉樹の暗い森に覆われ、それが延々と続く。景色が変わらないので、進んでいる気がしない。どこにも陸地が見えない大海を、ひとりぼっちで泳いでいるような気分だ。ペダルをあくせくこぐのがひどく無駄なことに思えてくる。

やがて、はるか前方に標識らしきものが見えてきた。ホッとしながら、そこに視線を集中する。さあ、なんて書いてあるのかな？

「NEXT 10MILE UNPAVED《一〇マイル先より未舗装》」

はぁ……。

だいたいろくなことが書かれていない。それなのに新しい標識が見えてくると、にわかに心が浮き立つ。ひとつ通り過ぎると、また次の標識が現れるのを無意識のうちに待っている。こんな途方もない大自然のなかでは人工物というだけで安心感を覚えてしまうものらしい。

ようやく町が現れた。といっても一軒のサービスステーション（ガソリンスタンド兼食料雑貨店）と、数軒の民家が寄り添うように並んでいるだけ。このあたりの町はすべてこうだ。言ってみれば、車のガソリン補給のためにできた町。

店の主人に、「次の町まで何マイルありますか？」と聞いてみた。水と食料をどれくらい積むかは、この距離によって決まってくる。

頭のはげ上がった小太りの店主は少し考えて、「五〇マイルだ」と言った。

車で移動する人にはなんの問題もない距離かもしれないが、平均で一日六〇マイル程度（約一〇〇キロ）しか進めないチャリダー（自転車旅行者）にとってはけっこうな距離だ。

念のため、別の人にも同じ質問をしてみた。顔の赤いトラックドライバーのオヤジは「がはは！」と笑ったあと、「そんなに心配するな。七〇マイルも走れば次のサービスステーションがあるわい」と言う。

だいたい、こういうところに住んでいる人の距離感はメチャクチャだ。彼らの言う数字を真に受けてはならない。多めに見積もって八〇マイルと踏んでおこう。

それだけ走るのに必要な食料を買う。といっても、店にはろくなものがない。数ヵ月前の冷凍保存パンに、野菜はタマネギとしおれきったふにゃふにゃのニンジンだけだ。この町の人たちは毎日どんな料理を作っているんだろう？

再びペダルをこぎ始める。二時間ほど走ると標識が見えてきた。やっぱり心のどこかがホッとする。ふふふ、なんて書いてあるのかな？

「NEXT SERVICE 120MILE《次のサービスステーションまで一二〇マイル》」

こんな標識でも、恋しくてたまらないのだ。

07
## ジョン・ハッチとオーロラ――一年目・八月

カナダに入り、ホワイトホースという町に着いた。ユーコン準州の準州都ということだが、人口はわずかに二万人強。見た目もこぢんまりとした素朴な田舎町だ。

キャンプ場に行くと、テント一泊が十ドルと看板にあった。べらぼうに高いわけではないが、ぼくにとって安い値段ではない。どうしようかと考えていると、ひとりの日本人らしい男と目が合った。ぺこんと頭を下げると、彼も同じように会釈《えしゃく》した。

彼はこの町にあるカヌー専門のエージェンシーでアルバイトしている若者だった。たまたま所用でこのキャンプ場に来たらしい。

「ここに泊まるの？」

と彼が聞いてくるので、

「うーん、迷ってるんだ。十ドルだからなあ」

とぼくは答えた。彼は少し考えてから、言った。

「俺の知り合いにジョン・ハッチって人がいるんだ。彼の家の庭にテントを張らせてもらえばいい」

そこで彼はちょっと笑った。

「その男もアウトローなんだ。気さくなヤツだから気兼《きが》ねしなくていいよ」

さすがにそれは厚かましいだろう、と思ったが、そのジョンがカヌーイストで写真家だと聞いて、会ってみたくなった。そういう男は、おそらく魅力的なヤツに違いない。

ジョン・ハッチは、ユーコン河のほとりにある古めかしい家で、一匹の猫と暮らしていた。聞いていたとおり、非常に親しみやすい男だ。彼は突然やってきたぼくを笑顔で迎え入れてくれた。六十代前半ぐらいの年格好で、ジーン・ハックマンに少し似ている。ひとつひとつの所作が太極拳のようにゆったりしており、その目は、誰もが彼には心を許すだろうと思えるようなやさしさに満ちている。とりわけ笑顔がいい。白い口ひげの奥で「ふふん」と独特な笑い方をする。絵になる男なのだ。

彼は「ここにテントを張ればいい」と、ぼくを庭に連れていった。目の前には海流のように巨大な青いユーコン河が流れ、ゴオオオ……と重厚な音を休むことなくたてている。

「すげえ……」

ぼくはいっぺんでここが好きになった。ジョンはあちこちを放浪したあと、ユーコン河が気に入ってここに住みついたらしい。

夜、ジョンに誘われ、コーヒーをごちそうになった。家のなかは壊れた家具や本やわけのわからないガラクタが山積みになっていて、歩く隙間もないほどだ。電気は通っていないのか、ランプだけが灯っている。水道もなかったが、水なら家のすぐ横にどっさり流れている。

その夜、ランプのおぼろげな光のなかで、彼はユーコンのすばらしさを懇々《こんこん》と語った。

「もし、お前が本当のユーコンを知りたいのなら……」

ジョンは静かにそう言って、コーヒーをすった。ランプの光が目尻のしわに深い陰影を作っている。

「一週間ほどカヌーで旅をすることだ」

彼が言葉を切ると、それと入れ替わるように、ゴオオオという音が浮かび上がった。夜は水流の音がいっそう大きくなるようだ。

「一日や二日じゃだめだ。四日目からようやく森の静けさを感じるようになる」

ジョンは再びコーヒーをすする。ぼくは次の言葉を待つ。

ゴオオオ……。

「五日目には動物たちの息づかいを感じるだろう。六日目、河の流れと一体になり、そして七日目にようやく本当のユーコンを知るのだ」

彼はそう言って、ふふん、と笑った。ぼくはすっかりその話に魅了され、大河を悠々と下っていく自分の姿を頭に浮かべていた。

だが、すでに山は秋の気配が濃くなってきている。雪が降り始めるのも時間の問題だろう。それに、ぼくはこの先、カナディアンロッキーを越えていかなければならないのだ。一日も早く南下しなければならない。

だいたい、アラスカを出発したのが遅すぎたんだ。カヌーの旅をやっている時間はない。

そういう結論に達しながら、しかし一方で、旅に出てもなお、時間に追われている自分に寂しいものを覚えた。

彼は自分が出した写真集をいくつか見せてくれた。ほとんどがインディアンのポートレートだ。哀調を帯びたモノクロの写真のなかで、人々の目は力強く輝いている。

夜中の一時ごろ、自分のテントに戻った。日記を書いて寝袋に潜ろうとしたとき、「ユースケ、出てきてみろ」という声が聞こえた。テントから這《は》い出してみると、すぐそばにジョンが立っている。

「どうしたの？」

ジョンはぼくのほうを見ず、夜空を見上げたまま、ある一点を指して言った。

「ノーザンライツ《オーロラ》だ」

「えっ、ウソ!?」

オーロラって、夏にも見ることができるのか⁉

彼の指すほうを見ると、淡く緑色に光る帯状の雲のようなものが夜空に浮かび、静かに動いていた。

口を開けて固まったぼくの横で、ジョンは「ふふん」と笑い、自分の家に帰っていった。

光の帯はしだいに大きくなり、ついにカーテン状になった。動きは想像していたものよりずっと速い。強風に激しくひるがえっているような感じだ。光のカーテンは数を増し、幾層にも折り重なって、とうとう夜空いっぱいに広がった。

ぼくはテントのなかにあるカメラを取りにいくことができなかった。一秒たりとも見逃したくないのだ。

光の明滅はどんどん激しさを増していった。そして、明るさが極まったところで、なんと花火のように爆発したのだ。

「うあああああ……」

このときの衝撃といったらない。「ブレイクアップ現象」というらしいのだが、オーロラがこんなふうに爆発するなんて、ついぞ知らなかった。

光の粒子は再び細い帯状となり、ゆらゆら動きだした。やがてカーテンになり、爆発までの一連のショーがまた始まる。ショーは三度繰り返され、合計で一時間半ほど続いた。そのあいだ、ぼくはずっと放心状態だった。こんな風に我を忘れたのは何年ぶりだろう。

ショーが終わって、夜空が静まったとき、自分のまわりで鈴虫が鳴いているのに気づいた。風が草やつゆの匂いをはらみ、それがいやに懐かしく感じられた。そのうち、ひとつの考えが頭に浮かび、大きく広がっていった。

――カヌーに乗ってみようか……。

08
## ユーコンの流れの上で――一年目・八月

ホワイトホースという町はカヌーのメッカだ。複数の会社がカヌーツアーの企画やカヌーのレンタルを行っている。

そのひとつを冷やかし半分で訪れたとき、ひとりの日本人と出会った。痩せぎすでサングラスをかけ、うさんくささがぷんぷん香ってくるような男だ。「東南アジアで大麻の買いつけをしています」と言われたら、ああ、そうですか、とぼくは違和感なく受け止めたに違いない。山藤と名のるその男は、しかし経験のあるカヌーイストらしく、今回ようやく念願のユーコンにやってきたという。歳は三十代前半か。

「ボロいカヌーしかないねえ。なんだよこれ？　やっぱレンタルはだめだね」

口を開けば文句ばかり言っている。筋金入りのひねくれ者といった感じだ。

その山藤氏が「カヌーのパートナーを探しているんだけどね」と言ったとき、ぼくはもうすぐで笑ってしまうところだった。なんでこうもうまく話が転がっていくんだろうねぇ。

カヌーは日本で二度ほど経験したことがあるが、さすがに大河ユーコンを何日もかけて下るとなると、自分の技術では心細い。彼がカヌーのベテランという話に嘘はなさそうだし、それにぼくはこういうクセのある人物が嫌いじゃない。

話はすぐにまとまり、ふたりで一艘《いっそう》のカナディアンカヌーを借りることになった。

翌日、レンタル業者のトラックに乗って、出発地点の橋に向かった。偶然、ほかに三人の日本人がいた。北海道から来たという彼らもまた、ユーコンを下るのが夢だったという。

今回ぼくたちが選んだルートは、テスリン河という支流にかかる橋からスタートして、コースなかばで本流のユーコン河に合流、そこからさらに下流のカーマックスという町まで下るというもの。全行程三六〇キロ。そのあいだ、道と河が交差するところはない。つまり、出発地の橋を離れると、河は文明に干渉されることなく、原始の森のなかを悠々と流れていくというわけだ。

十日分の食料とキャンプ道具、そしてビール五ケースにウイスキー数本を山積みにしたカヌーを水に浮かべると、通常の喫水線を越え、舷側に近いところまで深く沈んだ。

「カヌーってのはね、酒がないとつまんないんだよ、どっさり買おうぜ、カナディアンカヌーはいくらでも荷物を積めるから心配することたぁねえよ」

と、ダンディな口調で語っていた山藤氏は、そのカヌーの沈み方を見て顔面蒼白《がんめんそうはく》となり、ケースから缶ビールを取り出してプルトップを開けた。プシュッ。さらにぼくにも一本投げてよこし、「お前も早く飲め」と言う。リーダーの命令ならしかたがないな。プシュッ。

カヌーは流れに乗って、大河の上をゆるやかに滑っていく。ゆったりと、じつにゆったりと遠くの森が流れていく。ときどき、ゴボゴボと水の巻き込むような音が聞こえる。

川幅はどれぐらいあるだろう。五〇〇メートルか、一キロか、水の上からじゃ見当もつかない。水深も相当ありそうだが、川底の石がはっきり見え、その透明度に驚かされる。ときどき魚がスルスルーッと泳いでいく。その鱗《うろこ》の模様まで見える。

ジョンは「四日目から森の静寂を感じるだろう」と言っていたが、二日目には早くもその静けさが現れた。

河は流れが止まり、湖のようになった。広大な水面は鏡のようにピンと張りつめている。音のない世界。パドルをこぐピチャ、ピチャ、という音だけがくっきり浮かび上がる。パドルを止めると、静寂がスッと霧のように降りてきて、世界を包み込む。その静けさには息のつまるような感じがあった。ひとりでずっとここにいると、しまいには発狂するんじゃないかと思えるような圧迫感があった。

ぼくはたまらず大声で『津軽海峡冬景色』を歌い始める。続いて山藤氏がニール・ヤングのナンバーを歌う。ぼくたちはかわりばんこに歌を披露しながら、いい加減にパドルをこぎ、カヌーは壊れた方位磁石のようにクルクルと回った。ふたりとも相当酔っているのだ。

このとき、北海道の三人組はぼくたちのはるか前方にいて、ゴマ粒のように小さくなっていた。あとで合流すると、驚いたことに、ぼくたちの歌声が聞こえていたと言う。

「『悪女』を歌っていたでしょう」と曲名まで当てられてしまったのだ。

ぼくはあっけにとられながら、ランプの明かりに浮かび上がった老カヌーイストの笑顔を思い返さずにはいられなかった。

——ジョン、たしかにここの静寂はすげえわ……。

あるとき、流れるカヌーの上でラーメンを作ってみることにした。ずいぶん前にテレビのCMで見て、一度やってみたかったのだ。

携帯コンロを取り出し、鍋で水をすくって火にかける。前に座っている山藤氏が「おいおい、そんなことやってうれしい？」と冷たい目で言う。

「山藤さんもやりたいんじゃないの？」といたずらっぽく返すと、彼は「アホくさ」とそっぽを向いた。

ラーメンができあがると、「ずずずず！」とできる限り大きな音をたてて麺をすすった。

「ひやあーっ、うめえーっ！」

思わず叫んでしまった。これはたまらん！　澄みきった冷たい空気のなか、大河の上で熱いラーメンを食う。カナダの大自然がゆっくり流れていく。これ以上の幸福がほかにあるだろうか。

「ずずずず！」

顔の筋肉がゆるみまくったぼくを、山藤氏は仏頂面《ぶっちょうづら》で見ている。やがて、彼は「腹減ったな」とつぶやき、バッグのなかからコンロと鍋をごそごそ取り出したのだった。

ユーコンにはこんな逸話がある。

河原で焚き火をしている。腹が減ったので、焚き火にあたりながら釣竿《つりざお》を手にとり、うしろ向きに竿を振って背後の河にルアーを投げる。ルアーが着水すると同時に魚がかかる。次にさっきとは逆方向に竿を振ると、釣れた魚が手元に飛んでくる。それを焚き火に放り込む。

結局、焚き火から一歩も動くことなく焼き魚が食べられる――。

その話を聞いたときは、「ありえへん」と笑いながらも、幻想的なシーンを思い浮かべ、心が浮き立っていた。

実際はやみくもにルアーを投げても釣れるわけではない。魚がいるところは決まっている。

二日目、森のなかから小さな清流が現れた。白い瀬が小気味よい音をたてて本流に注いでいる。カヌーを岸につけ、はやる心をおさえながら、糸の先にルアーを結び、小川と本流が合流している地点の少し上にキャスト。と、同時に竿先が曲がった。

「うほっ！」

あっという間に二十五センチぐらいの、背びれがやけに大きい魚が釣れた。グレーリングだ。それからは狂喜乱舞《きょうきらんぶ》の世界である。ルアーを投げるたびにバシャバシャッと勢いよく水が跳ね、魚がかかる。焚き火の話もあながちでたらめだとは思えなくなってくる。

だが、しばらく釣りまくっていると、魚たちもさすがにおかしいと感じるのか、しだいに食いつきが悪くなっていった。魚たちの学習スピードは思ったよりも速い。

釣れたグレーリングをソテーにして食べてみる。淡白な白身で少しイワナに似ていて、うまい。それをつまみにビールを飲み、いい気分になったところで、再び河の流れに乗ってのんびり下っていく。

三日目、キングサーモンの群れに出くわした。最初それが目に入ったときは一瞬、丸太が川底に転がっているのかと思った。それぐらい、デカい。冗談半分でルアーを投げてみると、そのうち本当にかかった。

「ウッヒョーッ！」

飛ぶわ走るわすごい迫力である。これはまずいことになった。まさか釣れるとは思っていなかったので竿も糸も小型魚用なのだ。無理はできない。サーモンが走れば糸を出し、糸がなくなればぼく自身が走る。結局釣り上げるのに三十分以上もかかった。

その日は四匹のキングサーモンが釣れた。三匹は逃がしてやり、約八十センチのメス一匹をまな板の上にあげる。北海道トリオ、山藤氏、そしてぼくの五人が固唾《かたず》を呑んで見まもるなか、いつの間にかみんなの調理長になっていた北海道トリオのひとり、佐藤氏が腹にナイフを入れる。

「ウオオオーッ!!」

真っ赤に光るイクラがドバドバ出てきた。まるでパチンコのフィーバーだ。見る間に、小型バケツの約三分の一が赤い宝石で埋もれた。

その日からはイクラメニューのオンパレードだ。イクラ丼に始まり、イクラおにぎり、イクラスパゲティ、イクララーメン、イクラピザと、なんにでもイクラを山盛りにのせてガツガツ食べる。これがまた、とてつもなくうまい！　ふつうのイクラよりも大粒なため、口のなかでブチュッと弾けるあの食感がよりダイナミック！　かといって少しも大味ではなく、鮮烈さのなかにほのかな甘味があって、まろやかなコクが全体を包み……ああ、もうとにかくうまいんじゃあっ！

ぼくたちは豚のごとく食べ続け、気がつくとそれぞれの顔にポツポツとニキビのようなものができていた。

イクラは脂肪分が多いのだ。

カヌーの上ではあくせくとパドリングをせず、河の流れに任せてのんびり下っていった。

当初、山藤氏はパートナーにカヌーをこがせて、自分はビールをかっくらい、カヌーの上で昼寝をしようという魂胆だったらしい。しかし、ぼくも同じように昼間から飲んで寝転がっていたので、カヌーは木の葉のようにただ流されるままになっていた。贅沢《ぜいたく》な時間が、夏の長い日に歩みを合わせるかのように、ゆっくりと過ぎていった。

河の上ではみんな独特の表情をしていた。世間で溜《た》めてきた垢《あか》を河で洗い流したかのように、曇りのない、どこか突き抜けた顔だった。

　ジョンの言うとおりだな、と思う。カヌーのレンタル会社が企画している一日や二日の体験ツアーをやったとしても、いまぼくたちが感じているものとはずいぶん違っただろう。何日も河に揺られ、河原でキャンプし、河から得られる恵みを食べ、水の音を聞きながら眠る。そうやって初めて、河が体のなかを流れ始めるのだ。

　ぼくにとって、もうひとつおもしろかったのは視界の違いである。カヌーから見る世界は、自転車から見ている世界とはまるで違っていた。水面が顔のすぐそばにあり、ずいぶん低い位置から両岸の森を眺めることになる。その視線の高さで生きていれば、人は自然に対してより謙虚になれるんじゃないか——ふと、そんなことを思った。

　ある夜、河を下り始めてからずっと待ちこがれていたものに再び巡り会えた。

　夜空いっぱいに広がり、明滅する光の大カーテンにみんな狂喜した。北海道トリオたちは「たまやー！」と叫んで大はしゃぎし、山藤氏は子どものように口をぽかんと開けて見つめている。

　ぼくは空を見上げながら、ぼくをこの旅に導いてくれた光と、そして老カヌーイストに、ただただ感謝していた。

09
## 巨大キノコ頭の男——一年目・九月

プリンスジョージという町でのことだ。

夕方、スーパーで晩メシの買い物をしてキャンプ場に戻ったぼくは、自分のテントサイトを見て「うん？」と首をひねった。見覚えのないテントが、ぼくのテントに寄り添うように張られている。

「誰や、あんな近くに……」

場所はほかにいくらでもあるのだ。憮然《ぶぜん》としながら近づいていくと、ちょうどそのテントから宿主が這い出てきた。

「!!」

一瞬、言葉を失った。強烈にインパクトのある男である。髪の毛が四方八方にのびて、頭全体が恐ろしくデカい。まるで巨大なキノコだ。目は切れ長で鋭く、小柄でガッチリした体格、そして顔も手足も真っ黒……なんなんだこいつは。インディアンか？

男はぼくを見てボソッと言った。

「あ、こんにちは」

完ぺきな日本語だった。

男はキヨタと名乗った。あきれたことに、彼も自転車で世界一周旅行中だという。キャンプ場のオーナーからぼくのことを聞いて、隣にテントを張ったらしい。

だいたい、自転車で世界をまわろうと考えるようなヤツはどこかおかしいのだ。この男もやはり例外ではなく、聞いてもいないのに自分の半生を一方的に語り始めた。

「ぼくは小学生のときは野球少年でぇ、四番でキャッチャーでぇ……」

長くなりそうだな、と思った。ぼくは適当に相づちを打ちながら、買ってきた野菜を切り始めた。

「そう、でねぇ、オーストラリアに行ってぇ、人生観変わってぇ」

野菜炒めとごはんができあがった。キヨタくんは夢中でしゃべり続けている。野菜炒めを勧めたら、彼は話を中断してそれを食べ、「あは、うまいなあ」と少年のような顔になり、「そう、でねぇ」と再び壮大なドラマの続きを始めた。おしゃべりというより不器用なタイプのようだ。ぼくは晩メシを食べ終えると、彼の話に相づちを打ちながらペットボトルの水で鍋を洗った。

「――というわけで、旅に出たんだよね」

彼の自己紹介はじつに四時間に及び、ぼくは歯磨きも終えていたのだった。

次の日、もう一泊するというキヨタくんに、「じゃ、マウント・ロブソンで会えたら会おう」と言って、ひと足先に逃げるように出発した。悪いヤツではなさそうだが、彼の濃厚なキャラはぼくには少々負いかねる。それにカナダの大自然を、誰にも気兼ねすることなくのんびり味わいたかったのだ。とはいっても、ぼくを見送る彼の寂しそうな目を見て、ちょっと申し訳ない気持ちにはなったのだけど……。

カナディアンロッキーの最高峰、マウント・ロブソンに着いたのはそれから三日後だった。インフォメーションセンターに行くとクリントン元大統領に似たオヤジが話しかけてきた。

「ここから山のほうに向かって、最高のトレッキングコースがあるんだ。ここまで来たら、そこを歩かない手はないぜ。七キロ先のキャンプ場までなら自転車でも行けるよ」

時計を見ると午後七時。日は沈みかけているが、七キロなら二十分もあれば着けるだろう。一応、キヨタくんあてに手紙を書いてメッセージボードに貼りつけ、急いでトレッキングコースに入った。

コースは青い小川沿いにのびていた。未舗装だが踏み固められているので走りやすい。なるほど、クリントンの言ったとおりだ。

　ところがしばらく行くと道は荒れ放題になり、急勾配《きゅうこうばい》の坂が始まった。自転車から降りて、押しながら歩く。やがて日が沈み、森には暗闇が忍び寄ってきた。メーターを見ると、まだ半分も来ていない。

「まずいぞ、これは……」

　こんなところで暗くなったら身動きがとれない。熊がいるからそのへんに寝るわけにもいかない。引き返すべきかどうか激しく葛藤《かっとう》しながら、なおも前進を続ける。

　汗だくになってしばらく進んだところで、がく然となった。道は前方で崖のように立ちはだかっており、岩や木の根が地表からボコボコと顔を出していた。それはもう絶対に道なんかではなかった。単なる山肌だ。

　荷物をフルに積んだ自転車はもはやどれだけ押しても進まない。前輪と後輪を交互に持ち上げ、少しずつ引きずり上げていく。大粒の汗がポタポタこぼれ落ちる。お、おのれ、クリントンめ……。

「これのどこがサイクリングじゃあっ！」

　やっとの思いでそこを登りきり、キャンプ場の光が見えたときは、汗にまじって涙が出そうだった。空には無数の星がまたたいていた。

次の日、カキ氷のようなマウント・ロブソンの雄姿を眺めつつコーヒーを飲んでいると、巨大なキノコが自転車を押してやってきた。彼はフルマラソンを走り終えたような顔をしており、深刻な表情で一枚の紙をぼくに見せた。それはぼくがインフォメーションセンターに書き置きしたメッセージだった。

「キャンプ場で待っている。チャリで行けるらしいよ。七キロだから楽勝だ！」

10

## 初めての相棒——一年目・九月

その夜、一緒に晩メシを食べたあと、キヨタくんが言った。

「じゃあ、明日はどこまで行く？」

ふたりで走るのがさも当然のような言い方に、ギクリとなった。

「そ、そやな、ジャスパーまで行くか……」

ぼくは少々ひるみながら、しかしまんざらでもなくなっている。少年のような笑みを浮かべる彼に、いつの間にか非常に近しい空気を感じるようになっていたのだ。

翌朝、走り始めると、彼はごく自然にぼくのうしろについた。それがちょっと意外だった。自己主張の強いヤツ、というイメージがあったが、どうやらそういうわけでもないらしい。ぼくはぼくで人のケツを見ながら走るより一番前を走るほうが好きなのだ。案外、ぼくたちはいいコンビを組めるかもしれない。

ジャスパーからは「アイスフィールドパークウェイ」が始まる。レイクルイーズまで続く全長二三〇キロのこの道は、サイクリストにとって憧《あこが》れのルートという噂だった。

走ってみると、たしかにすごい。道の両側は展望が開け、切り立った壮大な山や、クレヨンで描いたような極彩色《ごくさいしき》の湖が次々に現れる。そのたびにぼくは「うおおーっ！」とうなってうしろを向く。すると、口をポカンと開け、アホ面になっているキヨタくんがいる。目が合うと、ぼくたちはおもしろくてしかたがないという顔でニタニタ笑う。

ペアランを始めたその夜にわかったことだが、この筋肉質の相棒は料理が徹底的にダメだった。晩メシは毎日インスタントラーメンで、面倒だからという理由で野菜も入れていないらしい。話を聞きながらぼくは顔が引きつってしまった。それでよく走れるものだ。

「……メシ、一緒に作ってあげようか？」

と言うと、キヨタくんは、うんうん、と勢いよく首を縦に振った。

ぼくはけっこう料理が好きで、定番の野菜炒めや野菜スープをはじめ、ビーフシチューのようなものやピーマンのひき肉詰め、肉だんごの甘酢あんかけといった、ちょっと凝ったものも作る。人に手料理を出すのも嫌いじゃなく、当然のことながら相手がおいしそうに食べるのを見るのも大好きだ。

そんなぼくにとってキヨタくんは上客だった。何を食べても「うまいなあ、うまいなあ」としきりに感心し、本当にうれしそうな顔をする。ぼくは俄然はりきった。日中走っているときも今晩は何を作ろうかと考え、新妻のような幸福感に浸《ひた》っていたのだ。

ところが、ある日のことだ。

肉ジャガのつもりが、なかに入れたサラミから酸味が出て、とんでもないモノができてしまった。ぼくはひと口食べて顔をしかめ、「ゴメン！」と謝りながらキヨタくんのほうを見た。すると彼は「うまいなあ」と言って目を細め、パクパク食べているではないか。

ぼくの料理への意欲は急速にしぼんでいった。

彼は熊本出身だという理由で、自分のことを「朴訥《ぼくとつ》なんだよね」と言った。自分をそんな風に言うヤツはあまりいないぞ、と心のなかでツッコミつつ、でもたしかに一本気なところなど、彼は九州男児のイメージそのままの男だった。もしかしたら、酸っぱい肉ジャガを「うまいうまい」と食べたのも彼なりのやさしさだったのかもしれない。キャンプ場で話しながら彼の笑顔を見ているとき、ふとそう感じた。

ぼくはいつの間にか、彼を昔からよく知っている友人のように錯覚し始めていた。それでなくても、同い年で同じ夢に向かっている彼と、このだだっ広いカナダで巡り会ったのは、ただの偶然だとは思えなかった。

そんな彼と二週間一緒に旅をしたあと、アイスフィールドパークウェイの終点、レイクルイーズで別れることになった。ここから彼は東へ、ぼくは西へと向かう。

ぼくたちは国道の分岐点で立ち止まり、お互い手袋を脱ぎ、力強く握手をした。

「死ぬなよ」

「お前もな」

キヨタくんはかすかに目を潤ませ、やはり少年のようなまぶしい笑顔を見せた。ぼくも目頭が熱くなり、笑ってごまかした。

走りだしてからうしろを見ると、ちょうど彼も振り返り、お互いに手を上げた。そうして、ぼくたちは再び一人ひとりになった。


急に視界が開けた。

ゆっくりと音もなく山が流れていく。寂しさはいつの間にか消え、かわりに解放感を覚え始めた。

やっぱり自転車旅行はひとりがいいのかもしれないな、とそのとき思った。それぞれ、走るペースも休憩の取り方も違う。どんなに気の合うヤツだろうと、どこかで妥協し合わなければならないのだ。それが積み重なって目に見えないストレスになっていく。仲間と一緒に走るのは楽しいけれど、長い旅ならひとりのほうが気楽でいい。

ぼくは走りながら、歌いたくなったら遠慮なく大声で歌い、疲れたら誰に構うことなく休憩した。

カーブを曲がったところで、突然、異様な形の山が現れた。巨大な岩の柱が空に向かって何本もそそり立っている。「カテドラルマウンテン」だ。

ぼくは興奮し、思わずうしろを向いた。だが、そこに見慣れたはずのキノコ頭の笑顔はなく、青空が広がっているだけだった。

慌てて前を向いた。

急に叫びたくなったので、「アホやー!」と誰にも構わず叫んだ。

11

## 人嫌いのジムと流れ星――一年目・十一月

カナダから再びアメリカに入り、オレゴンコーストを一路南へ走る。

バンクーバーの知人宅でしばらく休養していたため、いつの間にか木枯らしが吹く季節になっていた。この時期は寒いだけじゃなく雨も非常に多い。こんな季節外れの海岸線を走っているバカはぼくだけだろう、と思いきや、ひとりのチャリダーが道の分岐点で地図を眺めていた。

「ハイ！」とぼくが声をかけると、男は顔を上げ、心なしか当惑した表情を浮かべた。おや？　と思った。妙な反応だ。チャリダー同士ならだいたい仲間意識を持つものだけど……。

男は三十代半ばで、あごひげを黒々と生やしており、ジムと名乗った。束の間立ち話をしたが、どうも会話がしっくりこない。相手はどこかよそよそしくて、早くその場を去りたがっているようなのだ。どうやら孤独を愛するタイプらしい。

走る方向は同じだったが、ぼくたちはお互い「グッドラック」と言って別れた。

カリフォルニア州に入ると、丈の異様に高い杉の木が道のわきに次々に現れた。レッドウッド国立公園だ。樹齢《じゅれい》千年、高さ百メートルに達する巨大杉の群生地帯《ぐんせいちたい》である。

雨がいよいよひどくなってきたので、大杉の下に逃げる。濃い霧が木々のあいだをさまよい、水墨画のような風情《ふぜい》をかもし出していた。雨の音がパラパラと森を叩いている。小さな木の実が無数にはじけているような音だ。それに耳を傾けながら、目の前の木に刻まれた深いシワをぼんやり見つめた。そのうち、吸い寄せられるように幹に抱きつき、耳と頬を押しあてた。

「…………」

不思議な感覚だった。温かいのだ。

しばらくそのまま抱きついていた。気の遠くなるような年月を生きていた老木は、いまもひっそりと呼吸し、濡れそぼって冷えきったぼくを温めてくれている……。

キャンプ場で再びジムに会った。彼はテントを持っているにもかかわらず、雨がやんだからと言って、大地にそのままシートだけを敷いて寝た。やはり変わった男だ。

次の朝、ぼくがテントから這い出すと、すでに彼の姿はなかった。

さらに南下し、森林地帯を抜けると今度はブドウ畑が目につき始めた。カリフォルニアワインの産地だ。大陸を縦に走ると、気候や植生がどんどん変わるのでおもしろい。

三日後、スーパーの前でまたもやジムに会った。ベンチに座り、朝メシを食べている。彼はぼくを見ると、今度ばかりはどこかあきれたような顔で笑った。ぼくも笑いながら彼の向かいに座り、食パンと蜂蜜《はちみつ》を取り出した。そしてお互い朝メシを済ませたあとは、どちらからともなく並んで走り始めたのである。

彼は毎年自転車で各地を旅しているにもかかわらず、人と一緒に走るのは初めてらしい。アメリカなら道中でたくさんのサイクリストに出会い、ペアランの機会は多いはずだ。やはり意識的に人を避けているのかもしれない。

ところがしばらくつきあっていくうちに、人間嫌いという印象は彼からすっかり消えていくのである。

「ボーイ」

彼はぼくのことをそう呼んだ。一緒に走り始めた初日の夜だ。町の夜景が見下ろせる公園のベンチでぼくたちは夕食の用意をしている。

「なんだ、その荷物の多さは？　テレビでも入っているのか？」

ニヤニヤしながらジムは言う。いったん打ち解けると、そのヒゲ面には常にスケベな笑いが浮かぶようになっていた。

「お前こそなんだよ、そのバカでかい缶は？」

と、ぼくも負けじと返す。

「俺はコーヒーホリック《コーヒー中毒》なんだよ」

ジムはそう言って、缶のふたを開け、スプーンでコーヒーをすくってアルミのポットに入れる。お湯を注ぐと、白い湯気がジムのいやらしい笑顔の前にゆらゆらと立ちのぼり、香ばしいにおいが漂ってきた。しばらくして、ジムはふたつのカップに黒い液体を注ぎ、ひとつをぼくの前に置いた。ひと口すると、冷えた体に、ツヤと深みのある味が染み渡った。

「うまい！」

「がははは、俺のオリジナルブレンドだ」


彼の仕事がこれまた奇妙だ。アウトドア教室の先生だという。大地に平然と寝るところや、コーヒーへのこだわりぶりなんかを見ていると、なんとなくうなずけるものがある。

二日目はブドウ畑に泊まった。この日はぼくもジムにならってテントを張らず、地面にシートだけを敷いて寝転がる。目の前に宇宙が広がった。流れ星の多い日だ。青白い小さな光が次から次へと夜空を横切っていく。

「日本では流れ星に三回願いごとを唱えると叶うと言われてるんだ」

「ほう。アメリカでも同じだ」

「へえ、そうなの？」

「でもこっちは唱えるのは一回だけだ。三回も唱えるなんてできねえだろうよ」

「やってみるか」

「おう」

時を待たず、流れ星がスッ。

「マネー、マネー、マネー」

「ビューティフルガール、ビューティフルガール……やっぱり無理だ、がははは！」

ふたりの笑い声が夜空に吸い込まれていく。あたりにはワインの芳香《ほうこう》がたちこめていた。

「たまにはペアランもいいな」

ジムがそう言ったとき、ぼくは意外な心持ちで彼のほうを見た。ロウソクの火の向こうで、ジムはニカッと笑っている。

彼とはサンフランシスコで別れることになった。しばらく町で休養するよ、と言うぼくに、ジムは「俺は町が嫌いだから先に行くわ」と言った。

「オーケイ、わかった。じゃあ住所を交換しようぜ」

出会って仲よくなった旅人同士が住所を交わし合うのはなかば社交辞令だが、ぼくはこのとき、ジムとはもう一度会いたいと本心から思った。そして彼も同じ気持ちだろうと勝手に決め込んでいた。

ところが、ジムはかすかに顔を曇らせ、「まあ、会えるときには会えるさ」と、お茶をにごしたのだ。ぼくは言葉につまった。三日間一緒に走って、人嫌いの彼と打ち解けることができたと思っていたのだが、彼とのあいだには依然として高い壁があったのだ。

ジムはそんなぼくの思いを知ってか知らずか、笑顔で握手をしたあと、「グッドラック」と言って、ペダルをこぎだした。

町を走り抜けていく彼のうしろ姿を、ぼくは少し寂しい気持ちで見送っていた。

12

## クリスマスツリーのない家——一年目・十二月

クリスマスが近づいたらしい。

家という家の窓から、部屋のなかのクリスマスツリーが見える。そのまわりでは子どもたちがニコニコ笑いながら遊んでいる。

ユタ州に入ってから標高二〇〇〇メートル前後の高地が続いていた。日中でも日が陰ると気温はマイナス十度近くになる。突き刺すような寒風を顔に受けながら鼻水を垂らし、クリスマスツリーや家族団らんの姿を横目に見ながら走る。外気がますます寒々しく感じられてくる。

ある夕暮れのことだ。小雪がちらつくなか、村の小さな公園に自転車をとめ、テントを張る場所を探していた。そこへ、ひとりのじいさんが大きな犬を二匹連れてやってきた。目が合ったので挨拶《あいさつ》すると、

「何をしているんだ？」

じいさんはニコリともせず、言った。

「ここでキャンプしようと思ってるんですけど」

会話はそれで終わった。ぼくは再び公園のなかをうろうろした。じいさんはそんなぼくの様子をしばらく見つめたあと、やはり無愛想な調子で言った。

「俺の家で寝ていけ」

レンガ造りの小さな家に入ると、やわらかな熱が凍《い》てついた頬を包んだ。居間の暖炉《だんろ》で熾《おき》

が燃えている。美しく整頓《せいとん》された部屋だった。彼と犬二匹のほかに住人はいないようだ。

じいさんは大きな冷凍庫を開けた。プラスチック容器がたくさん並んでいる。そのひとつひとつに几帳面に手書きで中身を記したシールが貼られてあった。カレー、ボルシチ、オニオンスープ……。

「好きなのを選べ」

じいさんは言った。

ぼくは「シチュー」と書かれた容器を指した。彼はそれを鍋に空けて火にかけ、木ベラでザクザクと砕きながら熱を加えていった。料理をする音だけが静寂のなかに浮かんでいる。ぼくは彼のうしろ姿を見つめていた。老人の料理をする姿というのは、なぜこうも温かいのだろう。

じいさんはひとり分のシチューを皿にとり、パンを添えてぼくの前に出した。彼はすでに夕食を済ませていたらしい。

赤味の強いそのビーフシチューはレストランで食べるような本格的な味わいで、びっくりするくらいにうまかった。コックをしていたの？　と聞くと、「料理は趣味だ」と彼は抑揚《よくよう》をつけずに答えた。

静かに食事をしながら、ぼくたちはポツリポツリと話をした。

息子が遠い都会にいる、と彼は言った。

「息子さんたちは、ここを出ていったの？」

「いや、違う。俺がこの田舎村に移り住んできたんだ」

じいさんは相変わらず無表情で答える。

「息子さんはここへは？　よく来るの？」

彼は首を横に振った。

そのとき、この部屋にクリスマスツリーがないことにようやく気づいた。

じいさんはテレビをつけた。映画『アラビアのロレンス』をやっている。ピーター・オトゥールが従者を連れて砂漠のなかを息も絶え絶えに歩いているところだ。

「いい映画だ。観たか？」

「いや」

じいさんは場面ごとに丁寧な解説を入れてくれた。相づちを打ちながら、ぼくは思った。いつの日か息子さんがここを訪ねてきたときも、おそらくじいさんは冷凍庫を開けながら言うのだろうな。「好きなものを選べ」と……。

翌朝、彼は犬二匹とともに見送ってくれた。相変わらず仏頂面のままだが、ぼくが振り返るたびに手を上げてくれるのだった。

## 13 神様のモニュメントバレー――一年目・一月

その展望台に着くころには、すでに気持ちが萎《な》えきっていた。長い上り坂と、強い向かい風にさんざん苦しめられ、疲労困憊《ひろうこんぱい》していたのだ。

「まったく、こんな思いまでして来るところかよ」

景色をひと目見て、写真を撮ったらさっさと町に行って休もう。そう思いながら、駐車場に自転車を置き、手すりのある展望台のほうに歩いていった。

突然、視界が開けた。

「…………」

頭が真っ白になったあと、怒濤《どとう》のように興奮が押し寄せてきた。ぼくは手すりにつかまり、眼下に広がった景色を食い入るように見つめた。

大海原のような赤茶けた大地から、分銅のような形をした巨大な岩が三つ四つ、ボコボコと飛び出している。ユタ州とアリゾナ州の境に位置する、先住民ナバホ族の聖地「モニュメントバレー」だ。

浸食によってできた独特の地形で、岩はビュートと呼ばれている。西部劇でおなじみの風景だが、実際にこの目で見ると印象がまったく違う。ビュートは小山のように巨大で、艶《つや》のある色をしていて、獣《けもの》が静かな寝息をたてながら眠っているようだった。ナバホ族たちはここに神がいると信じているそうだが、この景観を目《ま》の当たりにすれば、誰だってそう思うんじゃないだろうか。

最高の眺望に浸ろうと、高台のへりにテントを張った。そこはキャンプ場だったが、日が沈むとすぐに氷点下になるようなこの時期、キャンプをしている者は誰もいなかった。ぼくは料理を作っているあいだも、それを食べているときも、目の前の景観にひとり静かに酔いしれていた。

翌朝、目が覚めると、テントの外はすでに明るくなっていた。

「よっしゃ、行くか」

寝袋から這い出し、テントのジッパーを開ける。と、その瞬間、白い光が無数の矢のようになって、顔に降り注いできた。細めた目から、巨大な三つの岩が、光の洪水のなかでシルエットになって浮かんでいるのが見える。岩の輪郭が金色ににじみ、まるで後光が差しているようだ。

「……あ、あかん、もう一泊や」

　ぼくはもう一度寝袋にもぐり、テントに横になったまま岩たちを眺めた。

　昼からはバレーに下りて、あたりを散策した。奇妙な岩が大地のあちこちからそそり立ち、巨大なオブジェの森のようになっている。浮世離れした世界を、ぼくは夢遊病者のように歩きまわる。

　夕方になると、高台に戻ってテントの横に座り、色鉛筆でスケッチした。

　太陽が傾いていくにつれ、岩は刻々と色を変えていく。夕日が地平線に近づくと、大地は影に覆われ、ビュートはスポットライトを浴びたように赤く輝いた。ただの岩がなぜこんなに光るのか、不思議だった。

　何かの影が、ビュートの上をゆっくり這い上がってくる。藍染《あいぞめ》の染料が染み込んでいくように。それが大地の影だとわかるまでに、少し時間がかかった。

　ビュートの真ん中あたりで、その影はぴたりと止まった。それより上は、岩はピンク色に染まり、上下でくっきりと二色に分かれている。その状態が少し続いたあと、ろうそくの炎がふっと消えるように、岩に灯っていた明かりが消えた。色鉛筆を持つ手が長いあいだ止まっていた。

　暗くなった大地を眺めながら、ぼくはあらためて確信した。世界はまだまだ〝探検〟するのにふさわしいところなのだ、と。

　いまや世界じゅうでテレビカメラの入っていないところはないだろう。探検や冒険にふさわしい場所は、もうほとんど残されていないといっていいんじゃないだろうか。

　しかしそれでも、世界は未知のものにあふれている。たとえそこが旅人の手垢にまみれた観光地だったとしても、あるいはテレビで何度も放映されたところだったとしても、だ。

　自分が未体験ならば、そこは紛れもなく〝フロンティア〟である。実際そこに行って己の目で見ない限り、それは自分にとって永遠に〝未知〟なのだ。

　いまのぼくにとって世界はひどく謎めいていて、途方もなく大きい。あちこちフロンティアだらけである。それらを片っ端から見てやるのだ。自分の足を使って大陸を泳ぎ、世界中に散らばっている最高の宝をひとつひとつ探していくのだ。

　出発前、頭のなかに広がっていた大航海時代のイメージを、ぼくは再び鮮明に思い描いていた。体がうずうずしてしかたがなかった。

　翌朝、テントの外が明るくなり、パチッと目が覚めた。さあ今日こそは出発だ。二日間も岩を見続けたのだ。もう心残りはない。

「おっしゃ、行くぞ！」

バッと勢いよくテントを開ける。と、目の前に真っ赤な朝焼けが広がり、そのなかで巨大な岩のシルエットが神々しく浮かんでいた。ぼくは金縛りにあったように固まった。

「……も、もう一泊や」

再び寝袋に潜り、テントに横になったまま大地の胎動《たいどう》を眺めた。

昼からはバレーを散歩し、日没前になると高台に上って夕焼けショーを堪能《たんのう》した。結局、この日も同じように一日じゅうビュートを見ていたのだった。

次の朝もパチッと目が覚めた。よし、いくらなんでも今日こそは行くぞ、と気持ちを固め、勢いよくテントを開ける。バッ。

「…………」

再び寝袋に潜り、岩を見つめる。

こうしてぼくはここに四日間留《とど》まり、のべつ岩たちと向き合っていたのである。

自分の前世はナバホ族だったかもしれない、と少し本気で考えていた。だって、無神論者だったぼくが、いまは彼らと同じように、ここに神が住んでいると信じて疑わないのだから。

14

## 仙人の暮らし――一年目・一月

夕方、セドナという町に着いた。

この町には西海岸を一緒に走ったジムが住んでいるはずだった。でも彼は住所を教えてくれなかったから探しようがない。あるいはアウトドア店に行けば彼のことがわかるだろうか。

そんなことを考えながら自転車をこいでいると、前方から野犬のような勢いで走ってくる何かが目に入った。

「あああーっ！」

「ヘイ、ボーイ！」

なんと、ジムではないか。嘘みたいなタイミングだ。市街地に入ってからまだ五分もたっていないはずである。

彼は二ヵ月前と同じように汚いひげ面でニカーッと笑い、右手を差し出してきた。ぼくは内心あっけにとられながらその手を握った。人嫌いの彼が再会を喜んでくれている……。

「ジム、本当に会えるなんて！」

「がははは、俺も信じられん！　このあたりには滅多《めった》にやってこないんだ。今日はたまたま用事があって出てきたんだ！」

大騒ぎしているぼくたちを、行きかう人々が変な顔をして見ていく。ぼくは興奮冷めやらないままに言った。

「お前の家に案内してくれよ！」

そのとき彼の顔がかすかに曇った。あっ、と思った。前に住所を聞いたときと同じだ。

ジムは気乗りしない調子で言った。

「まあ、お前さえよければ……」

どういう意味だ？　何かまずい事情でもあるのだろうか？

ジムは道路わきにとめてあった自分の自転車にまたがり、「こっちだ」と言って走りだした。釈然《しゃくぜん》としないまま彼のあとを追いかける。やっぱり遠慮しておくよ、とはいまさら言えなかった。

やがて町を抜け、森がどんどん深くなってきた。なんだかイヤな予感がする。ジムはぼくの心配をよそに走り続け、しまいには自転車を担《かつ》いでうっそうとした森のなかに入っていった。そして木々のあいだを抜け、突き進んでいったところには……年季の入ったテントがあった。

「ジム！」

「がはは、これが俺の家だ」

「お前、カリフォルニアで会ったとき、アパートに住んでるって言ってたじゃないか！」

「がはは、このことは誰にも言わないんだ。この家を知っているのは町ではふたりだけだ」

この暮らしを始めて十年になるという。あきれ果てたヤツだ。住所を聞いても教えないわけである。番地などないのだから。

それにしてもこの天幕生活の充実ぶりはどうだ。テントのまわりには木の皮が絨毯《じゅうたん》のように敷きつめられ、石を組んで作ったテーブルやイスや暖炉が据えられている。テントがなければさながら石器時代だ。こいつはおもしろい。まるでハックルベリー・フィンみたいじゃないか。

「ジム、近くにテントを張ってもいいかい？」

遠慮がちにそう聞いてみると、ジムは楽しそうな顔をして言った。

「どこでも好きなところに張ればいいぜ。俺の土地じゃねえ」

その日から彼との奇妙な共同生活が始まった。昼間は山のなかを歩きまわり、景色のいい岩の上でふたり並んで瞑想《めいそう》にふける。セドナ周辺は独特の地形で、オリーブ色の森のあちこちから赤い岩が、積乱雲《せきらんうん》のようにニョキニョキと盛り上がっている。それらを眺めながら心地いい風に吹かれ、何時間もぼんやりする。

夜はふたりでメシを作って食べ、暖炉の火を囲んでジムの淹《い》れるコーヒーを飲みながら遅くまで語り合う。足跡や糞からどんな動物かを推測するときの楽しさやその方法を、彼は目をらんらんと輝かせて話し、先住民の割礼《かつれい》の話を、スケベな顔をしてうれしそうに語った。ぼくは四六時中笑い転げていた。

ジムは精神的な高みを求めてこのような仙人じみた生活をしているというより、純粋に自然が大好きで、そこでのんびり暮らす生活を選んだ、という風だった。そのことにぼくは好感を持った。ふたりの笑い声と、薪《まき》のパチパチとはぜる音が夜の冷たい空気に溶け、ゆっくり時を刻んでいく。

ここでの生活は、意識の底で蔦《つた》のようにからみついていたさまざまな呪縛《じゅばく》を解きほぐしてくれるようだった。日に日に、些細なことがどうでもよくなり、ただ生きている、という手ごたえだけが残っていくのだ。それがひどく快感だった。

しかし、仮にこの生活がもっと続けば、そのうち物足りなさを覚えるに違いない。血のわきたつような興奮と、躍動《やくどう》を求めて走りだすに決まっているのだ。いまのぼくには、そう思えた。悟りの境地にいたるには、まだまだ見ていない世界が多すぎる。

四日後、旅に戻ることにした。

別れぎわ、ぼくは自分の実家の住所を紙に書いてジムに渡した。彼が手紙などくれるわけがないことはわかっていたが、彼との関係をどこかでつなぎとめておきたかったのだ。だが、ジムは意外なほどそれを喜んで受け取り、そのあと冗談みたいなことを言った。

「お前も手紙くれよ、ボーイ」

「どうやって！」

彼は紙に汚い字を書いてよこしてきた。そこには郵便局の私書箱が書かれている。なるほど、その手があったか。

ジムは世のなかとの接点をすべて断ち切っているわけではなかったのだ。それを知って、なんだかうれしくなった。ぼくたちはがっちり握手して別れた。

再び森や山が流れだした。ぼくはペダルをこぎながら、森の仙人にはどんな手紙を書こうかな、といやに楽しい気分で考えていた。

15
## セイジさんのちょっと怖い話——一年目・一月

フェニックスという町のユースホステルで、セイジと名乗る二歳年上の男と知り合った。彼もチャリダーで、日本からここに飛んできたばかりだった。

大学時代はアメフト部に在籍していたという根っからの体育会系で、威勢《いせい》がよくて豪放磊落《ごうほうらい》《らく》、さらにギャグがキレまくっていた。笑うと垂れた目が顔のシワのひとつのようになり、人のよさがあふれ出る。しゃべりながら何かにつけふたりで大笑いしていたので、宿のなかでぼくたちは妙に浮いていた。

彼は二年前、世界一周の旅に出た。まずはアメリカ大陸縦断を目指したのだが、南米の荒野で片方のペダルが付け根から折れた。そこで彼がどうしたかというと、修理できそうな大きな町まで、片方のペダルだけで数百キロ走り続けたというのだ。恐ろしい男である。

その旅では時間の余裕がなかったため、どこにも寄り道せずに最短距離を走ったらしい。そして南米最南端、ウシュアイアにゴールしたとき、「これは俺の旅じゃない」と思った。

そこでいったん日本に帰って一から資金を貯め、今度は「大陸縦断」といった形を気にせず、好きなところを好きなように走るという自由なスタイルで旅を仕切り直すことにした。出発地点をここフェニックスに決めたのも、このあたりに見どころが多いからという理由だそうだ。旅のスタイルにこだわって世界一周旅行をやり直すというのも、ひどく酔狂な話に聞こえる。

ぼくたちはこの町にしばらく滞在し、セイジさんは出発の準備、ぼくはもっぱら自転車の整備に時間を費やした。走行距離がすでに一万キロを超えているため、メキシコに入る前にギヤなどの消耗パーツを交換しておいたほうがよさそうだと判断したのだ。とはいっても、ぼくはメカいじりが大の苦手だった。パンク修理さえおぼつかないほどなのである。

慣れない手つきで作業をしていると、セイジさんがやってきて、横からアドバイスをくれ始めた。そのうち、ちょこちょこと手をさしのべてくれ、いつの間にか彼が全面的に作業し、ぼくが横でじーっと見ているという状態になった。

彼のふるまいにはおせっかいなところが少しもなく、自然体ですがすがしいくらいだった。手を真っ黒にしてギヤを外しているセイジさんを見ながら、ぼくはこれからも彼に連絡を取り続けるだろうな、と思った。

ふたりでいると、いつもバカな話ばかりしていたのだが、ある夜、彼が「俺が南米まで走ったのは二年前だからまだ情報新しいよ」と言った。そこでぼくもマジメに情報収集をすることにした。バッグから地図を取り出し、ペンを片手にまずは治安面を聞いてみる。

「メキシコどうでした？」

「まーったく問題なし！」

「へえ、そうなんですか？　ホッとするなあ」

メキシコには少しビビッていたので、彼のこのひと言にはずいぶんと勇気づけられた。

「中米はどうでしたか？」

「中米？　ああ、まーったく問題なし！」

「南米は？」

「まーったく問題なし！」

……まーったく参考にならないではないか。

「あ、でも一ヵ所、ヤバイところがあったな」

彼はそう言いながら、地図のある部分を指した。ペルーの北部だ。

「ここに二〇〇キロくらいの無人の砂漠があるんだ。ここで強盗に待ち伏せされて襲われたチャリダーが何人かいるらしい」

「……セイジさんはそこ、走った？」

「ああ、走った。俺のときはまーったく問題なかった。だからたぶん大丈夫だ！」

ぼくは心のなかでその意見を却下し、地図の上に「強盗出るかも」と記入した。

16

## メキシコの強烈な先制パンチ――一年目・二月

国境を越え、メキシコの町シウダードファレスに入った瞬間、足がすくんだ。

通りは人と車であふれ返り、クラクションがあちこちでヒステリックに鳴っていた。誰もがぼくとは逆方向に、アメリカに向かって移動し、とんがった目をして殺気立っている。

「これは、たまらん……」

歩道には、体のあちこちが奇妙に曲がった物乞《ものご》いたちが五メートルぐらいの間隔でずらりと並んで座っている。あばらの浮き出た犬が歩きまわり、暗がりにたむろしている男たちがぼくをギロリとにらむ。戦火の跡かと思えるような崩れたビル、漆喰《しっくい》の剝《は》げ落ちた家、亀甲《きっこう》状にひび割れた道路、きついアンモニア臭……だんだん気分が悪くなってきた。

「これのどこが『まーったく問題なし』やねん……」

アメリカ西部を元気よく走りまわっているであろうセイジさんのことを、ぼくはうらめしく思った。こんなところを自転車で行くなんて、まるで「襲ってください」といわんばかりではないか。

できることなら、いますぐUターンしてアメリカに戻りたかった。しかし世界一周への意地だけがかろうじてそれを食い止めている。

人をかきわけかきわけ、ガイドブックであらかじめ調べておいた安宿へ向かう。看板が見えてホッとしたのは一瞬だけだった。入り口の前に目つきの悪い男たちが大勢座っている。

「なんなんだこいつら……？」

どう見てもヤバそうだったが、ぼくは一秒でも早くどこかに身を寄せたかった。男たちのわきを通り、自転車ごと宿のなかに飛び込んだ。

受付の小さな窓には鉄格子《てつごうし》がかかっていた。その向こうに大柄な男が座っている。英語で話しかけてみると、男は肩をすくめた。国境沿いの宿の従業員なら片言の英語は話すだろうと思っていたが、大きな間違いだった。身振り手振りでなんとか意思を伝え、とにかく部屋を見せてもらうことにする。

暗い廊下を通って指定された部屋に行き、ドアを開けた瞬間、絶句した。

「…………」

まるで野戦病院だ。壁はしみだらけで、ベッドのマットレスも毛布も古雑巾《ふるぞうきん》のように黒ずんであちこち破れている。部屋に入ると公衆便所のようなニオイが鼻をつき、思わず顔をしかめた。床の隅に黒いものがふたつ落ちている。よく見るとゴキブリの死骸だ。なんというデカさだろう……。シングルで一泊約七百円とはいえ、これはひどすぎる。念のために窓の鍵を確認すると、みごとに壊れていた。窓から顔を出して下をのぞくと、部屋の真下にハシゴが立てかけられている。ど、どういう意味なんだ、これは。

「冗談じゃない……」

受付に戻り、身振り手振りで男に説明して、別の部屋の鍵をもらった。だがその部屋も目を覆いたくなるような状況で、しかも同じように窓の鍵が壊れていた。かぶりを振りながら再び受付に戻り、さらに別の部屋を見せてもらうと、そこもまったく同じ状況だった。窓の鍵もきちんと壊れている。

「どういうことじゃあっ！」

ぼくは男に英語で詰め寄った。伝わろうが伝わるまいが関係ない。だが、男は肩をすくめるばかりで、いっこうにらちがあかない。

悩んだ末、ぼくは不承不承《ふしょうぶしょう》チェックインし、自転車ごと部屋に入った。表通りの人ごみを考えると、これ以上荷物をつけた自転車を押して宿を探す気にはなれなかったのだ。

窓の鍵にはレンチをあてがい、その上から針金をグルグル巻いた。これで外側からは開けられないはずだ。もっとも、たやすく窓を割られそうな雰囲気ではあるが。

そのあと、アメリカ側の国境の町エルパソで知り合った日本人旅行者のIくんとバーに飲みに行った。彼はエルパソに宿をとっていて、日帰りでメキシコにやってきたのだ。そんな彼がうらやましくてしかたがなかったが、ここまで来ればぼくも開き直るしかない。

「メキシコにサルーッ《乾杯》！　ゴキブリにサルーッ！」

ぼくは完全にヤケクソになって、ビールを次から次へとあおった。I君もそれに調子を合わせ、ふたりで大騒ぎしていた。

ふいに、熱い視線を感じた。カウンターの隅から派手なオバちゃんがこっちを見ている。目が合った瞬間、金歯を出してニターッと笑い、ぼくの隣に移ってきた。近くで見るとさらにすごかった。アメリカンコミックのベティちゃんをもっとケバくし、三十歳ほど老けさせた感じだ。彼女はぼくに腕をからめてきて、金属をこするような甲高い声でしゃべりだした。

「○△×☆！　○△×☆！　グシシシシ！」

ぼくはわけがわからないまま「シー《はい》、シー！」と相づちを打ち、オバちゃんと一緒に「ぐはははは！」と気がふれたように笑った。

I君に助けを求めようと横を見ると、彼もいつの間にか、しなを作った肥満気味のオヤジに肩を抱かれ、泣きそうな顔をしている。ぼくたちは目が合うと「わははははは！」と笑った。

そのまま四者入り乱れて騒々しくビールを飲み、頃合いを見計らってI君と席を立った。

早足でバーを出たあと、何度かうしろを振り返ったが、追っ手は来なかった。ふぅ……。

その足で国境までIくんを見送りに行った。彼はぼくの手を強く握ると、

「じゃあ、がんばってください」

と無責任な言葉を残してアメリカに帰っていった。

独房のような薄暗い部屋に戻ると、ぐったり疲れ、海溝に沈んでいくような気分になった。

メキシコの先制パンチは、ぼくのボディに重く叩き込まれたのだった。

17

## ジャガーを求めて――一年目・三月

宿から顔を出して左右を確認し、「えいやっ」と自転車を押して外に出る。誰も俺を襲うなよ、と念じながら人いきれをかきわけて走るように歩き、人通りが減ったところで、自転車にまたがってめいっぱいぶっ飛ばす。

やっとの思いでシウダードファレスの町を抜けると、目の前に荒野が広がった。対向車線

からクラクションが聞こえる。見ると、トラックの運転席でオッサンが笑顔で手を振っている。ようやく、ほっと息をついた。

その日は一三〇キロ走って小さな町の安宿に泊まった。自転車を部屋に入れ、町を歩く。ソカロと呼ばれる中央広場は緑や花にあふれていた。ベンチには若い男女が腰かけ、にこやかな顔で話し、子どもづれの夫婦がのんびり歩いている。そして人々はこっちを見ると、「オラ《こんにちは》」と笑顔で挨拶してくるのである。ぼくもオラ、と返しながら、内心啞然《あぜん》としていた。まったく別の国に来たみたいだ。

どうやら、シウダードファレスに不穏な空気がたちこめていたのは国境のせいらしい。貧富の差が世界でも最も激しいといわれる国境なのだ。しかし、環境によって人の顔つきがここまで変わるというのも、なんとなく不気味な感じがする。

その日から、まるで夜が明けたように世界が変わった。

古ぼけた町は、空間全体がアンティークのように映り、どれだけ歩きまわっても飽きることがなかった。人々はすこぶる陽気でどんどん話しかけてくるから、ぼくのスペイン語も日に日に上達していく。ソカロには夕暮れどきになると屋台が立ち並び、白い煙をもうもうと上げている。タコスを買うと、四つで約百三十円という安さだ。トルティージャ（トウモロコシ粉でできた薄い素焼きパン）で肉と野菜をはさんだ、そのスナックにかぶりつくと、レタスやタマネギのシャリシャリした歯ごたえと熱い肉汁が口のなかで炸裂し、あまりのうまさに顔がほころんでしまう。

ぼくは一日の走行を終えて宿に自転車を入れると、すぐに外に飛びだし、何かにとりつかれたように町を歩きまわった。夜になると、屋台の群れがまるで漁火《いさりび》のように明かりを灯し、そのなかを村人たちがそぞろ歩く。毎日が祭りのようなのだ。ぼくは村人たちの流れにまじって歩きながら、毎晩言いしれぬ興奮を覚えていた。


そんな日々を一ヵ月ほど過ごし、首都のメキシコシティに着いた。

この町には日本人旅行者のたまり場で有名な「ペンション・アミーゴ」がある。地図からそこを探しあて、中庭に自転車を運んでいると、二階のベランダから巨大な頭が現れた。

「あああーっ！」

互いの叫び声が中庭に響き渡った。キヨタくんではないか！

「なんでまだおるんや⁉」

と、ぼくは二階のキノコに向かって素《す》っ頓狂《とんきょう》な声を上げた。彼とはカナダで別れるとき、メキシコのこの宿で二月の初めぐらいに会えればいいな、と話していた。しかし、いまはもう三月のなかばである。あちこちでのんびりしすぎたせいで、予定よりもはるかに遅れてぼくは到着したのだ。キヨタくんも大声で返してきた。

「待ちくたびれたよ！」

「ええ？　待ってたんか？」

信じられない思いで彼を見返した。別に固い約束をしたわけではないのだ。聞けば、彼はここに四十泊以上もしていたらしい。

「いつ出発する？」

キヨタくんは人懐《ひとなつ》っこい笑顔で聞いてくる。ふたりで行く気まんまんのようだ。ほんとにおかしなヤツである。ひたすらマイペースなくせに、いつも一緒に行こうと言う。もっとも、ぼくも屋台をふたりでハシゴするシーンを思い描きながらわくわくしていたのだけど……。


数日後、ぼくたちは南に向かって走り始めた。ひんやりする空気を浴びながら、流れていくビルの群れを眺める。うしろを向くと、雑然とした大都会にキヨタくんの笑顔があった。

標高二〇〇〇メートルのメキシコシティからひとつ山を越えると、道は一気に下りになる。やがて緑がうっそうと茂り、道路全体から湯気がたちのぼっているような灼熱《しゃくねつ》の世界にやってきた。大粒の汗をあごからしたたらせながら一歩一歩進む。

ある日、パレンケ遺跡に着いた。ジャングルの奥深くにたたずむマヤ遺跡のひとつだ。自転車を宿に入れ、遺跡観光へ向かう。一番高いピラミッドに上ると、眼下にこんもりしたジャングルが広がった。しばらくそこで風に吹かれてボケーッとする。

突然、「グオオオオーッ」と大きな咆哮《ほうこう》がジャングルに響いた。ぼくたちはビクンと体を震わせ、顔を見合わせた。

「いまの、聞いた？」

「……うん」

「あの話、本当やったんや……」

ここに来る前に会ったカナダ人のヒッピーから、「パレンケに行けばジャガーの鳴き声が聞こえるぞ」と聞いていたのだ。そのときは旅人特有のホラ話か、マリファナの吸いすぎで、いろんなものが見えたり聞こえたりしたんだろう、と適当に聞き流していた。

ぼくたちは耳を澄ました。ジャングルのそこかしこから、いろんな種類の鳥や獣の鳴き声が聞こえてくる。

「グオオオオーッ」

再び雷鳴のような声が上がった。

「あっちや！」

ぼくたちはピラミッドを駆け下り、声のするほうに向かっていった。ジャガーに会えるかもしれない！

ジャングルのなかは日中にもかかわらず、ひどく薄暗かった。熱帯の木々がうっそうと茂り、いまにもジャガーが飛び出してきそうな気配だ。

「グオオオオーッ！　グハッグハッ」

一段と大きな声が響きわたった。ぼくたちは足を止め、再び顔を見合わせた。

「ちょ、ちょっとやばくない？」とキヨタくん。

冷静に考えると、そうかもしれない。しかし、野生のジャガーがすぐそこにいるのだ。黄色と黒の本物の豹柄《ひょうがら》をまとったジャガーがすぐそこにいるのだ。

「俺は見たい！」

ぼくはさらに鼻息荒く、ジャングルを突き進む。

「おい、やばいよ、帰ろうよ」と言いつつ、キヨタくんは一定の距離――ぼくがジャガーに飛びかかられている隙に逃げられる距離――を保ちながらついてくる。

「グオオオオオオーッ‼」

木々を震わすような声に心臓が跳ね上がった。近い！　上からだ！

――うん？　上？

顔を上げると、斜め前方の、葉の生い茂った木の枝がユッサユッサと揺れた。うわ、ほんまにおった！　姿は見えないけどほんまにおった！

間もなく、木の葉のあいだから、黒くて長いものがだらんと垂れた。

「出たあぁっ！」

黒いしっぽ――黒ヒョウだったのか！

ぼくはうしろのキヨタくんに、「シーッ、静かにせえ！」とジェスチャーで示し、前方の木の上を指して「あそこにいる」と教えた。それから自分も再びそこに視線を戻した。黒ヒョウは大胆にも片手で木の枝にぶら下がっていた。

――うん？　片手でぶら下がる？

黒ヒョウはもう一方の腕を伸ばして、曲芸師のように別の木に飛び移った。

……サルだった。

ジャングルのロマンを追い求めていたぼくは、必死で発想の転換を試みた。サルなんかやない、サルなんかやない、あいつは、あいつは……

「あいつはゴリラや！」

しかしどう見てもサルだった（そもそもアメリカ大陸にゴリラはいない）。

そのうち木の葉の茂みから次々とサルが出てきた。木と木のあいだをひらりひらりと飛び移っていく。ぼくとキヨタくんは顔を見合わせ、ひきつった笑いを浮かべた。

あとでわかったことだが、これはクモザルの一種で、この辺のジャングルにはたくさん生息しているらしい。大きい鳴き声が特徴だ。

「ふざけんな、このバカザル！」

石を投げまくるぼくたちを尻目に、サルたちは優雅な身のこなしで木の上を渡っていった。

## 18
## ティカルの神殿——一年目・五月

キヨタくんとは三週間ほど一緒に走ったあと、それぞれルートが違うために別れることになった。

「じゃ、またな」

そう言ってぼくたちは握手を交わし、それぞれの方向にこぎだした。最初カナダで別れたときと比べるとあっさりしたものだ。どうせまたどこかで会うだろうな、とお互い気楽に考えている。

ひとりになってユカタン半島を一周したあと、ベリーズからグアテマラに入った。とたんに道がケモノ道のようにでこぼこになり、道を囲むジャングルもいっそう深くなった。

ある日、フローレスという小さな町に着いた。マヤ遺跡、「ティカル」の観光拠点だ。

夕暮れどき、近くにある湖に行ってみると、ひとりの日本人らしき女性がたたずんでいた。ちょっとパトロールするか、と近づいていく。こっちを振り向いた彼女。おっと、美人だ。

自己紹介もほどほどに、彼女は「ティカルには行った？」と聞いてきた。

「いや、まだやけど」

「そうなんだ。ティカルはすごいよ、本当にすごいよ！」

彼女はティカルから帰ってきたばかりらしく、いまだ興奮冷めやらぬといった調子で、その素晴らしさを懇々と語り続けた。ぼくは話を聞くふりをしながら、じつのところ、夕暮れの光に照らされた彼女の端整《たんせい》な顔立ちと情熱的な眼差《まなざ》しにばかり気をとられていた。

ひととおりティカルの話が終わると、話題はお互いの旅に移った。彼女はこれから南米をまわり、そのあとフラメンコ修行のためにスペインに飛ぶという。

「でも、少し予定が変わったの。スペインに行く前に、南米からもう一度ティカルに戻ってこようって決めたんだ」

彼女の大きな瞳がますます輝いた。

「へぇ、ティカルって、そんなにすごいんや……」

ぼくは感心する一方で、しかし、彼女が本当に戻ってくるかどうかについては話半分に聞いていた。南米からの距離や手間を考えると、ちょっと非現実的な話に思えたのである。


次の日の早朝、ぼくはひとりでティカルに向かった。

ゲートをくぐると、うっそうとしたジャングルが広がった。歩道はその奥へ奥へとのびている。濃い朝もやがたちこめ、真っ白な世界に木の影が幽霊のように浮かんでいる。

二十分ほど歩くと、森が開け、朝もやのなかに巨大な白い物体がうっすら浮かび上がった。ロケットを思わせるような細長いピラミッド——一号神殿だ。

高さ五十一メートルの石の建造物を見上げながら、昨日の彼女の言葉を思い出していた。

「……たしかに、すごいわ」

密林の奥深くにひっそりたたずむこの遺跡群は、現存するマヤのものでは最古で、また最も美しいといわれている。数々のピラミッドを建てたあと、人々は忽然《こつぜん》とこの地から姿を消すのだが、彼らの消息をはじめ、ピラミッド群がどんな目的で造られたかなど、すべては謎に包まれている。これを見るために、ぼくは二五〇〇キロもの遠回りをしてユカタン半島を走ってきたのだ。

　一号神殿を過ぎて、さらに奥へと進む。朝もやの白いベールの向こうから、巨大なピラミッドがひとつ、またひとつと現れる。時間が早いせいか、人はほとんどいない。ひとり静かに、幻想世界をさまよう。

　高さ七十メートルの四号神殿に登った。ティカルのなかでは最も高いピラミッドだ。頂上に着くと、やはり濃い霧に包まれ何も見えなかった。まるで雲のなかにいるようだ。先客が数人いて、読書や雑談をしながら霧が晴れるのを待っている。ぼくもそこで横になり、少し眠ることにした。

　周囲のざわめきで目が覚めた。半身を起こして下を見たとき、全身が総毛立った。

　朝もやがうっすらと晴れていくところだった。眼下一面に、まさに海のようなジャングルが広がっていた。地平線のはるか彼方《かなた》まで、もこもこした立体的な緑にびっしり覆いつくされている。その規模にも圧倒されたが、何よりも目を引いたのは緑の海原の、ある一角だった。まるで海底からせり出した摩天楼《まてんろう》のように、そこかしこからピラミッドの先端がジャングルを突き抜け、空を目指しているのだ。ぼくは魂を抜かれたように、それに見入った。

　ジャングルからは、獣や鳥たちの声が絶え間なく聞こえてきた。長い尾を持つ、派手な色の鳥たちが緑の海原を滑空し、木から木へと飛びまわっている。それらを一望に見下ろしていると、自分自身が空を泳いでいるような優雅な気分になってきた。ふと、千年以上前にここに座っていた君主も同じ気分を抱いていたんじゃないだろうか、と思った。そしてある考えが浮かんできた。なぜ、このような巨大なピラミッドを建てたのか。権力の誇示や宗教的意義といったもののほかに、もっと単純な欲求があったんじゃないだろうか。暗い密林から明るく広いところに飛び出したい、そんな自然な願望が、深いジャングルの海にこのピラミッドを造らせたのではないか——。

ぼんやりと景色を眺め、色鉛筆でスケッチし、三時間ほどピラミッドの頂上で過ごした。そのあと地上に下りてあちこちを見てまわり、夕方になって帰ろうとしたのだが、出口近くまで来たとき、足が止まった。襟首《えりくび》をうしろに引っ張られるように、ぼくは振り向き、気がつけばいま来た道を逆方向に駆けていた。

四号神殿に着くと、階段をかけ上がり、はしごをよじ登り、再び頂上に出た。息を切らしながら、大眺望を前にして恍惚《こうこつ》となった。

「南米のあと、もう一度ティカルに戻ってこようって決めたの」

そう言った彼女の気持ちが、いまになってはっきり理解できる。

ただ美しいだけじゃない。ここには強烈な引力がある。遠い昔、あるいは自分が生まれる前から呼ばれていたんじゃないかと思えるような引力だ。ふつふつと気泡のようにわき上がってくる喜びに包まれながら、また見つけたな、と心のなかでつぶやいた。

メキシコでもたくさん遺跡を訪れたが、ここは別格だ。モニュメントバレーが自然の景観の一番だとしたら、遺跡では文句なしにこのティカルである。これから先、これらを超えるものに出合えるだろうか。旅はまだまだ序盤戦だ。次は南米ペルーのインカ遺跡、マチュピチュに期待しよう。

# 第二章
# 南米

## 19 事件——二年目・七月

意外と知られていない事実だと思うのだが、北米と南米を結ぶ、あの十二指腸みたいな細いところに道はない。ジャングルが広がっているだけである。

ということで、中米のコスタリカから飛行機で南米のエクアドルに飛んだ。そこから一週間ほど走ってペルーに入り、さらに数日走ったところでピウラという町に着いた。

ここから先は広大な砂漠が広がっている。次の町のチクラヨまでは二〇〇キロ。そのあいだはほぼ完全な無人地帯だ。

このエリアに問題があった。「ときどきチャリダーが襲われる」とセイジさんが言っていた場所である。

自転車ひとり旅の最大のリスクは、やはりこういった追いはぎたちだ。人気のない場所で待ち伏せされたらもうそれだけで完全にお手上げ。「どうぞ、お好きなものを持っていってください」ともみ手をするしかない。

賢明な人はこう言うだろう。

「そんな危険なところは、バスにでも乗ってすっ飛ばせばいいじゃないか」

そのとおりである。そうできたらなんて気が楽だろうと思う。しかし、つまらないところで頑固なぼくは、「自転車世界一周」という大儀を立てた以上、道のあるところはぜんぶ自転車で行きたいのだ。南米縦断がこの部分だけ途切れるよりは、少々のリスクを冒してでも、完走にこだわって走りたい。バカげているが、性分《しょうぶん》だからしかたがない。だいたい、「死んだら死んだでそのときまでよ」とヤケクソな覚悟でこの旅に出ているのだ。

それでも一応、ピウラの町で警察署に出向き、ポリスたちに「実際どうなんだ？」と質問してみた。するとみんな胸を張って、「ノンプロブレマ！《問題ない》」と言う。「いまはパトロールも頻《ひん》繁《ぱん》に出ているから心配するな、わっはっは」

こいつらは信用できん、と直感的に思ったが、それでもいくらかホッとして、ピウラを発《た》ち、砂漠地帯に入っていった。

砂丘のない平らな砂漠だった。まっすぐに伸びる道の両側には、石英《せきえい》のような白っぽい砂の海が果てしなく広がっている。その美しさにため息をもらしながら、しかし同時に、胸の奥に寒々しいものを抱えていた。不安を紛らわすために、大声で歌いながら自転車をこいでいく。

交通量はきわめて少なかった。パトロールカーなんか一台も見ない。やっぱり思ったとおりだ。「頻繁なパトロール」が聞いてあきれる。

午後四時。砂が黄色味を帯び始めた。メーターを見ると、ピウラから八〇キロの地点。

一瞬、考えた。安全面を考えると早い時間に走るのをやめ、さっさと砂丘の裏などに隠れてテントを張ったほうがいいのだ。しかし明日チクラヨに着くために、できれば今日のうちに一〇〇キロ地点まで行っておきたい。あと二〇キロ。五時過ぎには走り終えるだろう。大丈夫だ……。

低木や草がまばらに生えている地帯に入った。日はさらに傾き、砂が黄金色に輝き始める。草木の影がのび、砂の上に長い格子模様を描いている。メーターを見る。あと一五キロ……。

突然、三〇メートルほど前方の草の茂みから、ひとりの男がヌッと現れた。背筋に冷たいものが走る。

「くそ、ミスった……」

さっき走り終えなかったことを猛烈に悔やんだ。こんなところで男がひとり、ピクニックをしているわけがない。道に迷って途方に暮れているなんてことも、絶対に、ない。

黒い革ジャンを着て、赤い帽子を深めに被ったその男は、バスを待っているような格好で道路の端に立ち、じっとしている。うつむいたまま、こっちを見ようともしない。

ぼくは自転車をこぎながら激しく自問自答した。どうしよう？　Uターンして逃げようか？　でも、相手は拳銃を持っているに違いない。下手に逃げてうしろから撃たれるなんてまっぴらだ。

心臓の音が耳の奥から聞こえてきた。できれば殺さないでほしい。旅はまだまだこれからなのだ。マチュピチュもエジプトのピラミッドもまだ見ていないし、マサイ族にも会っていないのだ……。

相手までの距離が一〇メートルほどに迫ったあたりで、男はついと顔をあげ、道路の前後を見まわした。車が来ていないかどうか確認しているようだった。

――終わったな。

そう直感したのと、相手が懐《ふところ》から黒光りする拳銃を取り出したのがほぼ同時だった。男は銃口をこっちに向け、血走った目を見開き、まさに鬼のような形相《ぎょうそう》でダダダダッと突進してきた。

「うあああ！」

自分の口からゾッとするような気味の悪い声がもれた。男も何か大声でわめきながらぼくの襟首をつかみ、腹に拳銃を押し当てた。

目の前に真っ白なものが広がった。撃たれた、と一瞬思ったが、痛みはない。

男はぼくの襟首をつかんだままグイグイ引っぱり、砂漠のほうへぼくを自転車ごと引きずっていく。どこからか別のふたりが現れ、猛烈な勢いで走り寄ってくる。彼らは自転車をぼくから引き離し、草の茂みの裏に倒した。さらにぼくを砂漠の奥へと引っぱっていき、砂丘の裏手に押し倒した。口に砂が入ってくる。わき腹に蹴りが飛び、大量の砂が雨のように髪に降りかかる。こんなときにへんなことを思った。

――あとで砂を払うのが大変やな。

妙な感覚だった。男が蹴る。痛みは感じない。しかし痛そうにうめいたほうが攻撃の手がゆるまるかもしれない。ぼくは目をつぶり、「ぐう!」と声を上げる。

万事そのように〝強盗に襲われている男〟を演じているのだ。そして本当の自分は、どこか上空のほうから冷静にこの状況を眺めているのである。まるでドラマを見ているような気分だった。

彼らはロープでぼくの手首をうしろ手に結び、さらに足首も縛った。助かった、と思った。これで殺されはしないだろう。殺す気ならこんな面倒なことをせずに、最初から撃っているはずだ。

ぼくはできるだけ声を落ち着かせ、彼らに言った。

「ビシクレタ・ソラメンテ・ポルファボール《自転車だけは置いていってくれよ》」

すかさず口にタオルが巻きつけられる。雑巾のようなニオイがむわっと口に広がる。うわ、汚えな……。

まるで緊張感がない。人間誰でもこういう極限状況に陥ると、感覚がどこかぶっ飛んでしまうのだろうか。

反面、彼らの慌てぶりはほとんど滑稽《こっけい》だった。最初に現れた赤い帽子の男が、仲間のふたりに何か怒鳴りつける。ふたりは慌てて自転車のほうに走っていく。赤帽の男はぼくに拳銃を突きつけたまま、自転車のほうで作業しているふたりに、「ラピッド《急げ》、ラピッド《急げ》！」と狂ったように叫んでいる。まあまあ落ち着けよ、と声をかけたくなる。

ただ、そんな風に冷静な目で彼らを見ながらも、ひとつだけ気がかりなことがあった。三年ほど前、隣国のチリで日本人男性の旅行者が三人の現地の男に犯されるという事件があったのだ。

こっちの相手も三人である。そのうえぼくはロープで結ばれている……。

そこへふたりが戻ってきて、三人で激しく口論を始めた。と、突然、赤帽がぼくのかたわらに腰を下ろした。そしてサイクリングパンツに手をかけ、一気にそれをずり下ろしたのだ。

——き、来た！

「そ、それだけはやめてくれええ！」

男は、パンツの下に巻いていた貴重品袋を勢いよく引き剝がし、立ち上がった。ぼくは半ケツを出したまま、全身でため息をついた。レイプじゃなかったんだ……。

だが、安堵《あんど》したのも束の間、男は二、三歩、歩きだしたと思ったら、なぜかまた戻ってきた。そして、再びぼくのパンツに手をかけたのだ。

「や、やめろおおっ！」

男はぼくのパンツを上げた。

ケツ丸出しで砂漠に横たわっている姿が不憫《ふびん》に思えたのだろうか？　そのあと三人は走り去っていった。

案外、いいヤツらだったのかも……。

## 20

## バスのなかで——二年目・七月

貞操は守れたものの、パスポートや全財産の入った貴重品袋は奪われてしまった。しかも手足をロープで縛られたまま、砂漠の真ん中に置き去りにされたのである。

自力でロープをほどこうとするが、うしろ手に結ばれているので、なかなか思いどおりにいかない。しだいにあせりが募ってきた。このまま日が暮れるとまずい。夜の砂漠は相当に冷えるのだ。

それでも十五分ほどすると、なんとかほどくことができた。縛られるときに意識的に両腕を開き、あとでロープがゆるみやすいようにしておいたのである。

祈るような気持ちで道路のほうに歩いていった。赤い自転車が見えたときはホッとしたが、次の瞬間、失意のどん底に叩き落とされた。荷物がぜんぶなくなっている。パスポートや現金だけでなく、キャンプ道具からカメラ、衣服、薬、工具など、いっさいの装備品を失ったのだ。

自転車は大きすぎて車には積めなかったのだろうか？　それとも、ぼくが「自転車だけは残してくれ」と頼んだのが幸いしたのだろうか。いずれにしてもまだ救いがあった。旅は終わっちゃいない。

自転車のまわりにはいろいろなものが散乱していた。強盗たちの慌てぶりがうかがえるようだ。バッグを持ち去るときに落としたのだろう。といってもろくなものはない。ペンとかタオルとか、そういったものだ。それらをひとつひとつ拾い上げていくうちに、ますます空《むな》しい気分になっていく。

「…………？」

信じられないものが落ちていた。なんと財布である。

はん、どうせ中身は抜かれているんやろ、と内心ぼやきながら開けてみると、

「入っとるやないか！」

慌てて数えると二百ドルちょっとあった。日常的に出し入れする財布だったので、たいした額ではなかったが、しかしこれはいったい……？

ひょっとして、ぼくに情けをかけてくれたのだろうか、と思った。なんといってもパンツを上げていってくれるような紳士たちである。

しかしそのあと、自転車のハンドルにつけていたサイクリングメーターが引きちぎられているのを見て、自分の考えが大いに甘かったことを痛感した。ここまで根こそぎ持っていくようなヤツらが金を置いていくわけがない。おそらく財布もかばんのポケットから落ちたのだろう。砂地だから音がせず、気づかれなかったのだ。

しかしまったくの僥倖《ぎょうこう》である。二百ドルあれば当面の生活費はなんとかまかなえる。

落ちているものをすべて拾いあげると、道路のわきに立ってヒッチハイクを試みた。

しばらく待つと一台の乗用車がやってきた。腕を横に広げ、親指を立ててみるが、車はスピードをゆるめることなく、走り過ぎていった。ここは強盗出没地帯のど真ん中なのだ。のんきに親指を立てていても止まってくれるわけがない。

次にトラックが来たとき、ぼくは道の中央に立ち、両手を振りまわして叫んだ。
「アルトォォ！」《止まれええ》
これじゃ強盗と変わらないではないか。だが、体裁など気にしていられなかった。トラックはぼくの手前で止まり、オッサンが怪訝《けげん》そうな表情を浮かべて運転席から顔を出した。事情を話すと彼は気の毒そうな顔をし、「荷台でよかったら乗りな」と言った。

バタバタと激しい風に吹かれながら、ぼくは猛スピードで流れていく砂漠をぼんやり見つめ、失ったものを思い返していた。何より痛いのはアドレス帳だ。バカだった。こまめに控えをとって実家に送っておくべきだったのだ。ジョン・ハッチにキヨタくん、ジム、セイジさん、そのほかたくさんの顔が思い出された。これまでに出会った友とのつながりが切れてしまったのだ。

日が暮れ、空はピンク色に染まっていた。湖が夕空を映すように、平らな砂漠もピンク色に輝いている。それは息を呑むような美しさで、まるでぼくにあてつけているようだった。なぜかいまだに現実感がなく、ぼくは異様な色の砂漠を放心したように眺めていた。

チクラヨの町に着くころには、暗闇があたりを覆っていた。トラックの運ちゃんはホテルの彼の部屋にぼくを泊め、晩メシまでご馳走《ちそう》してくれた。しかし、ぼくはすっかり不感症のようになっており、食欲がまったくなかった。何かの穀物を練って焼いたその料理を無理やり口に押し込んでみたが、パサパサした食感が伝わってくるだけで味もよくわからなかった。

次の日、礼を言って運ちゃんと別れ、チクラヨの警察署に向かった。保険を申請するのに盗難証明書を書いてもらわなければならない。

ところが、応対したポリスは、「お前が被害に遭《あ》った場所は数キロピウラ寄りだから、あっちの警察署へ行け」と言う。いかにも面倒くさそうな態度だ。ぼくはカチンときた。

「アホか！　レポート書くだけやろが！　なんで二〇〇キロも戻らなあかんのじゃ！」

しかし、相手はこっちの言い分にまったく耳を貸そうとしない。上司を呼んでもらったが、やはり同じ対応だった。ぼくは爆発しそうになるのを必死でこらえ、残された二百ドルのなかからチケット代を出して、バスでピウラに戻った。しかしそこの警察署もまったく話にならなかった。あちこちの部署をたらいまわししたあげく、アホ警官のひとりは、

「証明書が欲しいなら二十ドルよこせ」

と賄賂《わいろ》まで要求してきたのだ。

ぼくは完全にキレ、怒鳴り、やがてひどくみじめな気分になった。

なんとか証明書を書いてもらうことには成功したが、すべてが終わったのは夜の十時だ。

心身ともに疲れ果てたぼくは、「今日はここに泊まらせろ！」とバカポリスたちの向こうを張った強引な要求を叩きつけた。よほど殺気立った気が出ていたのか、その要求はすんなり通り、警察署の会議室に泊めてもらうことになった。

暗くガランとしたその部屋にひとりきりになり、渡された毛布をかけて横になった。深いため息が出た。そのうち気分がゆっくり静まっていくにつれ、しだいに体がガタガタ震え始めた。このとき初めて、自分の身に何が起こったのかはっきり理解したのである。強盗たちの血走った目や、腹に押し当てられた銃口の感触が何度も頭のなかによみがえってきた。胸が圧迫され、鼓動が激しくなり、なかなか寝つくことができなかった。

翌日、夜行バスに乗って、八〇〇キロ先の首都リマに向かうことにした。日本大使館でパスポートを再発行してもらい、一から装備を揃えなければならない。

砂漠をつらぬくまっすぐな道を、バスは猛スピードで滑るように走った。思いのほか立派で快適なバスだった。ぼくはリクライニングのシートに深く身を沈め、窓の外をぼんやり見つめた。嵐が吹き荒れたあと、凪《なぎ》が訪れたかのように、心のなかが空っぽだった。

窓の外の暗闇には不思議な奥行きがあった。それをじっと見つめていると、闇に吸い込まれそうな予感がした。ふと、あることに気づいた。

――まだ生きている。

あ、と声が出そうになった。新しい事実を発見したような気分だった。殺されていてもしかたがない状況だったのに、いまもこうして生きている……。

熱いものが体じゅうに広がっていった。

――そうだ、生きているのだ、これからなんでもできるではないか。

自分の〝命〟と〝可能性〟が直接結びついたように感じた。ああこの感覚だ、と思った。懐かしいものに出会った気分だった。

バスは深い闇のなかを力強く突き進んでいた。真夜中だというのに目がさえて、まるで眠気がやってこなかった。体にエネルギーがあふれ、いますぐにでも自転車でこぎだしたいような気持ちなのだ。

ぼくは眠るのをあきらめた。

そして、外の暗闇を見ながら、過去の記憶をたどっていった。

21

## 回想

あれは小学校の二、三年生のころだったと思う。

近所の友だちと道路わきの広場で遊んでいると、自転車にどっさり荷物を積んだひとりの青年が颯爽《さっそう》と走っていった。その姿に、子どものぼくはなぜかハッとした。

ああやって自分の力でどこまでも行くんや、と思った。

あの大きな荷物のなかにはおそらくテントや寝袋が入っているに違いない。好きなだけ走って、日が暮れたところで、大地に気ままに寝るんや……。

「カッコええ……」

その情景は脳裏に焼きつき、自由やロマンの象徴のようになった。ぼくは意識の底で、いつからかそのイメージを追いかけるようになっていたのである。

最初の自転車旅行は和歌山県一周だった。

高校一年の夏、「なんかおもろいことをやろう」と友だちと計画したのだ。ところが一緒に行くはずだったその友人が前日の夜に電話をかけてきて、「行けなくなった」と告げた。

なんや急に？　と問いただすぼくに、彼は言いにくそうに答えた。

「お母さんが、方角が悪いからと言って……」

アホらしくなるやら頭に来るやらで、「だったらひとりで行ってやらあ！」と怒鳴って電話を切った。昔からぼくにはすぐに開き直るクセがあったのだ。

正直、ひとりで行くのは心細かったが、翌朝、無理やり飛び出した。ペダルをまわして自分の町が遠ざかっていくにつれ、いろんなしがらみから解放されていくような気がした。いつの間にかとてもすがすがしい気分になっていた。

それまではるか遠くにあると思っていた一〇〇キロ先の町には昼過ぎにたどり着き、ぼくは得意になった。可能性がどんどん広がっていくように思えた。

結局、和歌山県一周は五日でできた。その翌年には二週間かけて近畿一周をやった。それが終わると次は日本一周を計画した。

なぜ〝一周〟にこだわるのかといえば、答えは単純。進めば進むほどゴールが近づくからだ。同じ道を往復するようなルートだと、走れば走るほどゴールが遠ざかり、帰るのが億劫《おっくう》になってくる。

ぼくは大学入学と同時にバイトに明け暮れた。そして大学一年目が終わった十九歳の春に学校を一年休学し、日本一周の旅に出た。

旅は文句なしに最高だった。青春を謳歌《おうか》していると心の底から実感した。しかしゴールが近づくにつれ、達成感よりも、もうすぐ夢が終わってしまうという寂しさのほうが強くなってきた。

もちろん、海外に出ることを考えないわけではなかった。異国の広大な大地を夢見てワクワクすることは何度もあった。しかし話が大きすぎて、到底、現実的だとは思えなかった。臆病で小心者の自分にできるわけがない。

でも……。

釈然としない気持ちを抱えたまま、日本一周の最終日を迎えた。

神戸の波止場にさしかかった。海は午後の陽光を浴びて、白い光の粒がキラキラ舞っている。自転車をとめた。ベンチに座り、光が絶え間なく揺れ動いている様をぼんやり見ていた。

ふいに、世界一周や、と思った。そう思い始めると、体がうずうずして、いてもたってもいられなくなった。

――どうせ生きてるんやったら、とことんやったろうやないか。

自分の命が、可能性そのもののように感じられたのだ。

低いうなり声のような音を響かせながら、バスは夜の砂漠を猛スピードで走っていた。

回想にふけっているうちに、あるイメージが頭のなかに広がった。少年時代、あの自転車青年を見たときから、いまいるこのペルーの砂漠まで、ずっと一本の道でつながっているような気がしたのだ。その道は最初から敷かれていて、その上をトロッコに運ばれるようにして、ここまで自分がやってきたように思えたのである。

——でも本当にそうだろうか？

本当にあのときから、ペルーで強盗に襲われ、このバスに乗ることは決まっていたのだろうか……？


東の空が白み始めたころ、リマに着いた。バスの荷物室から自転車を受けとり、まだ静かに眠っている町にこぎだした。この町には日系の人が経営している日本人ご用達の宿「ペンション西海」がある。そこに投宿して、再出発準備を進めるつもりだ。

リマは思いのほか巨大な都市だった。全体的に暗い印象を受けるが、それはどうも夜明け前の薄明かりのせいばかりではなさそうだ。細い路地のわきにはゴミがびっしり積もり、あちこちできついアンモニア臭が鼻をかすめる。そのなかをゆっくりと走る。

都市のエネルギーがわきたつ前の、ピリピリした振動が、すぐそこまでやってきていた。

22

## 新たな出発まで——二年目・八月

ベッドの上で仰向《あおむ》けに寝たまま、ぼくは天井を見つめている。

天井には黒いシミが一面についていて、まるで雨雲のようだ。その模様を見ているうちに、ふと、気味の悪いイメージがわき上がってきた。

落ち葉が腐って土に還《かえ》っていくように、自分の体はこのままベッドに深く埋もれ、溶けていくんじゃないか……。

ぞくぞくと寒気がしてきた。もう、旅立てないかもしれない、と思ったのだ。

ペンション西海に来てからすでに三週間が過ぎていた。

ここに来て最初のうちは、再出発に向けて精力的に町を駆けずりまわっていた。

日本大使館やカード会社の支店に行って、パスポートやトラベラーズチェックの再発行を申請し、それが終わると市場を片っ端からまわって、モノと値段を吟味《ぎんみ》しながら装備品をひとつひとつ揃えていった。キャンプ用品にはろくなものがなかったので、結局日本から送ってもらうことにしたが、撮影機材、服、鍋、食器類、工具などは現地で買いあさった。

自転車のサイドバッグは市場で売られている〝買い物袋〟で代用することにした。ビニール繊維《せんい》をざるのように粗く編んだもので、一個約四十円。これを四つ、前後タイヤの両サイドの荷台に古いゴムチューブで縛って取りつける。なんともみすぼらしい格好だが、それが狙いだ。貧乏そうに見えれば見えるほど、強盗たちに目をつけられる可能性が低くなるだろうと考えたのである（あとになって、このアイデアはぼくの意図とは別の効果をもたらすことがわかった。村で休憩していると、現地の人々から「何を売っているんだ？」としつこく聞かれるのだ）。

こうして着々と準備は進んでいったのだが、しかしある事件をきっかけに、ぼくはすっかりふさぎ込んでしまうのである。

リマに来て二週間ほどたったころだ。

通い慣れた道を通って、アメリカンエキスプレスのリマ支店に行った。これまでに何度も来ているが、トラベラーズチェックの再発行はまだ四百ドル分しか受けていない。奪われたチェックの総額は二千九百ドルである。

その日、いつも応対してくれる感じのいい姉ちゃんはアメリカンエキスプレスの本社に電話したあと、顔を曇らせた。そしてぼくのほうを向いて重々しい口調で言った。

「再発行は無理みたいです」

一瞬、聞き間違えたのかと思った。だが彼女は申し訳なさそうに同じ言葉を繰り返し、ぼくはヘナヘナとその場に崩れ落ちた。

「な、なんで？」

「あなたのチェックに使われた形跡があるようです」

「ア、アホか！」

ぼくは本社の人間と直接電話で話をさせてもらうことにした。電話口から、あなたのチェックは使われました、と機械的な声が聞こえた。アメックスの通訳にしては下手な日本語だ。

「ちょっと待てよ、俺は盗《と》られたあと、すぐにそっちに電話してチェックの番号を報告したんやぞ。そのとき調べてもらったら、『まだ使われていない』ってお前ら言ったやないか」

「そのあとで使われています」

「アホか！　俺が番号報告したとき、『これで使われませんか？』ってお前らに確認したやろ！　ほんだらお前ら、『イエス』って言ったやろが！」

「…………」

「なんか言え、コラ！」

「トラベラーズチェックは、完全に不正使用を止めることはできません」

「おいコラ！　使われてまうんやったら、なんのためのチェックやねん！　なんのために俺ら手数料の一パーセントを払ってるんじゃ！　安全のためちゃうんかい！　おう⁉」

「…………」

「どっちにしても、俺が報告したあとで使われてるんやから、止められなかったお前らの責任じゃ。再発行せえ！」

「それはできない」

「お前、口のききかた知らんのか！　日本語もっと勉強せえ！　ボスにかわれ！　お前の日本語より俺の英語のほうが百倍マシじゃあ！」

——ガチャン。

なんと、切りやがった。もう一度かけるが、つながらない。目の前の姉ちゃんは、同情というより、いくぶん迷惑そうな顔でこっちを見ている。ぼくは出直すことにした。

それから毎日のようにアメックス本社にコレクトコールしたが、らちがあかなかった。そのうち、ぼくの名前を告げた瞬間、電話が切られるようになった。

「ふざけやがって……」

こうやって、いったい何人の旅行者を泣き寝入りさせてきたんだろう。アメリカに戻って本社に殴り込みに行こうか、とかなり本気で考えたが、行動にまでは移せなかった。時間と金の無駄になることは目に見えている。

悪いことはそれだけではなかった。トラベラーズチェックの一件で意気消沈したせいか、急に体調を崩した。原因不明の熱が出て、扁桃腺《へんとうせん》が腫れて咳に苦しみ、ベッドの上で寝たきりの日々を過ごすようになった。

シミだらけの天井をぼんやり見ていると、決まって赤帽の男の幻影が現れた。こっちに向けられた銃口や黒ずんだ顔や血走った目が、突進してくる男の足音とともにまざまざとよみがえってくる。読書に集中しようとするが、すぐに目は活字を追わなくなり、頭のなかの赤帽の目を見つめている。

ぼくは日に日に脱力感にむしばまれていった。リマに向かうバスのなかでひとり熱くなっていたときの気分はもう、どこにもなかった。

――これは、もうやめろっちゅうことか？

ぼくはベッドのなかで占いババアと血尿のことを考えていた。やはり不吉な予感は当たっていたのだ。おそらく今回の事件が〝最終通告〟なのだ。それを無視して出発したら、次こそ自分は死ぬんじゃないだろうか――そんな妄想がだんだん真実に感じられてくる。

しかし、とも思う。

もし、志なかばで日本に帰ったら一生後悔するのは間違いないのだ。それだけは〝不吉な予感〟なんかよりも確実なのだ。行くしかない。あり地獄のなかにいるようなこの悪循環から抜けるためには、とにかく前進して、自分を押し上げていくしかない。もし万が一のことがあったら、それはそれでしかたがないのだ。一生後悔にまみれた人生を送るよりも、やりたいことをやって散ったほうがずっとマシだ。もともとその覚悟で日本を出てきたんじゃないか……。

だが、威勢のいい言葉は頭のなかだけで空回りしていて、体は一向に動かないのである。

鬱々《うつうつ》とした気分が唯一まぎれたのは、同室のサノくんと話しているときだった。

三人部屋のドミトリーに、ぼくは彼とふたりで泊まっていた。最初はひとりで部屋を使っていたのだが、あとから彼がやってきたのだ。

サノくんは原付バイクでアメリカ大陸を縦断する、という旅を終えたところだった。おとなしくて、はにかみ屋で、ハムスターのような黒目がちの瞳がいかにも純朴そうだった。

布団にもぐり、自分の殻に閉じこもっていたぼくでも、不思議と彼にだけは心を許すことができた。彼はぼくの話にただ黙ってうなずき、他愛のない話には一緒に笑ってくれた。団らん室でほかの旅人たちが宴会をしていても、それに積極的に交わろうとせず、ぼくが部屋にいると、彼もだいたい目の前のベッドにいた。

あるとき、日本大使館あてに送ってもらった友人からの手紙で、昔の会社の上司が亡くなったことを知った。ぼくは部屋に帰り、ひとりで酒を飲んだ。サノくんは外から帰ってくると、いつものようにぼくにつきあってくれた。気がつけば彼は顔を赤くし、ぼく以上に泣いていたのだった。

ペンション西海に来て三週間ほどたったころ、いつまでたっても出発する気配のないサノくんに、いつ出るの？　と聞いてみた。彼は、もじもじしながら言いにくそうに話した。

「えっと、まったく大きなお世話なんですけど……」

彼はそこで言い淀《よど》んだ。ぼくは黙って先を促した。

「ほんと、気にしないでくださいね……。ぼく、石田さんを見送るまで出れないんです」

ぼくはあっけにとられ、サノくんの顔を見つめた。

「でも、ほんとに石田さんは気にしないでください。ぼくが好きでそうしてるだけだから」

彼は、ぼくの旅がここで終わってしまうことを、自分のことのように心配していた。ただぼくを〝見送る〟ためだけに、この宿に泊まり続けていたのだ。

依然としてトラベラーズチェックは再発行される気配がなかったが、もうそんなものにこだわってはいられなかった。体調は相変わらずよくなかったが、装備品購入のために、再び外に出かけるようになった。

出発準備が整ったのは、ペンション西海に来て三十五日目のことだった。

ぼくを見送るために、旅人たちが宿の外まで出てきてくれた。ぼくは一人ひとりに握手してまわった。

サノくんにはなんて言おうか、と考えながら彼の顔を見た。彼はただニコニコと笑いながら、黒い瞳をにじませていた。ぼくは何かを言おうとしたが、声にならなかった。ただ、サノくんの手を握って、二度三度強く振った。

それから自転車にまたがり、いってらっしゃい、というみんなの声を背後に聞きながら、重いペダルをこぎだした。見慣れた薄暗い街がゆっくり流れだし、風が頬をなでていった。

こうして、再び旅が始まったのである。

23

## アンデスを抜けて——二年目・九月

リマの郊外を抜けると、荒涼とした砂漠が広がった。とたんに胃のなかが冷たくなり、気分が悪くなってくる。

「こんなところを、また自転車で走っていくんかよ……」

さすがに強盗事件はトラウマになっているらしい。

それからは最低なサイクリングが続いた。前方に建物など障害物が現れるたびに、その向こうで拳銃を構えている男の姿が浮かび、鼓動が速くなる。


そんなある日、この旅最大の難関のひとつ、アンデス山脈がやってきた。インカの遺跡、マチュピチュに会うためにはこの大きなハードルを越えていかなければならない。

遺跡観光の拠点の町、クスコまでは約六七〇キロ。その道のりの大半は未舗装で、四〇〇〇メートル以上の峠が途中に複数そびえている。

水と食料をどっさり積み、荒涼とした不毛の山岳地帯へ入っていく。標高六〇〇メートルから、まずは四三〇〇メートルまで一気に上がる。

のろのろと流れていくアスファルトを見つめ、一歩一歩ペダルを踏む。顔を上げるたびに、道がはるか上空へと、くねくね曲がりながら山肌を這っているのが見える。

二日目、標高三〇〇〇メートルを越えたあたりから、ひどい息切れが始まった。高度が上がるにつれ、空気中の酸素が薄くなっていくのが肌でわかる。

やがて空が異様な色になってきた。青の粒子が濃密になり、黒ずんだように見える。大地は強い日差しを浴びて雪のように白く光っている。そのコントラストが強烈で、夢のなかをさまよっているようだった。それでなくても酸素不足で頭がくらくらしているのだ。

さらに四〇〇〇メートルを越えると、頭が割れそうなほど痛くなってきた。体がまったく高度順化できていないらしい。

上り坂は延々一〇〇キロ続き、頂上に着いたのは出発して三日目だった。そこから坂を下ると頭痛も引いていったが、いったん標高三四〇〇メートルまで下がると、道は再び上昇を始め、おまけに石ころだらけの悪路に変わった。自転車を降り、ただ重いだけの荷物の固まりを押して歩く。ハアハアハアハアと、自分の呼吸音が目の前でやかましく鳴っている。すぐに息が上がって地面に倒れ、仰向けに寝たまま、酸欠の金魚のように口をパクパクして呼吸する。頭上に広がる黒い空を見ていると気が遠くなってきた。意識をしっかり保って再び立ち上がり、一歩一歩ふらつきながら進んでいく。

修行僧《しゅぎょうそう》のようなこの行為が、しかし、なぜか爽快なのだ。必死でもがいているあいだは、強盗たちの血走った目も銃口の冷たい感触も頭から消えていた。

山に入って十六日目、クスコの赤茶けた町並みが眼下に広がったときは、狐につままれたような気分だった。ぼくは、自分が本当にアンデスを越えられるとは思っていなかったのだ。

強盗事件以来、なんとか自分を支えてはきたが、いつも簡単に崩れそうになっていた。「もうどうにでもなれ」というやけっぱちな気持ちでアンデスに飛び込んだ。ところが、前へ前へと自転車をこいでいるうちに、いつの間にか恐怖心は消え、ついには乗り越えることができたのである。ボロボロに疲れきってはいたが、何か憑《つ》き物が落ちたように体は軽かった。肌に心地いい風を受けながらゆるやかな坂を下っていった。体が、町に抱かれていくような気分だった。

クスコの安宿に入り、そこにいた男を見た瞬間、「あああーっ！」と大声を出してしまった。浅黒い精悍《せいかん》な顔に垂れがちの目——セイジさんではないか！　アメリカのフェニックスで別れてから八ヵ月ぶりの再会である。

彼はぼくを見ると、最高にさわやかな笑みを浮かべてこんなことを言った。

「おお！　強盗に身ぐるみはがされたんだってな！　だからあれほど言っただろう。あそこは走るなって！」

あんた、あのときそんなことはひと言も言わなかったぞ……。

24

## マチュピチュはティカルを凌ぐか——二年目・九月

旅に出る前から、南米での最大の楽しみは「空中都市」の異名を持つインカの遺跡、マチュピチュをこの目で見ることだった。切り立った山の上に廃墟が広がるあの光景を、テレビやパンフレットなどで目にするたびに、ぼくは静かに興奮していたのだ。さらにティカルを訪れてからは、マチュピチュへの期待はいや増しに高まっていた。

「あそこにはティカル以上の感動が待っているはずや」

テレビでよく見るからという理由だけでそう考えていたのである。

マチュピチュへは一般の道路がないので、クスコからは電車を使うしかない。自転車を宿に預け、しばらく鉄道の旅としゃれ込んだ。

二等列車は一日かけてマチュピチュの手前の駅、アグアスカリエンテスに着いた。山間部の小さなこの村には、温泉が湧き出している。遺跡観光は翌日の早朝からにし、駅の近くの安ホテルをとった。

晩メシのあと、公衆浴場に向かって沢沿いの道を歩いた。せせらぎの音がじつに心地いい。

街灯が暗い道をぼんやりと照らし出し、あちこちから白い湯気が上がっている。「ほほぅ」とちょっと感心してしまった。日本の温泉情緒そっくりではないか。インカの遺跡の近くでまさかこんな風情を味わえるなんて……。

温泉は巨大な露天風呂だった。高地の夜空には星がうるさいぐらいにきらめいている。それを見上げながら手足をのばして温泉に浸《つ》かり、すぐ近くにあるマチュピチュに思いをはせる。ううむ、じつにシュールだ。遺跡と対面する前から盛り上がってきた。

ところが翌日は、マチュピチュを見たとたん一気に拍子抜けするのである。

「なんや、このちっちゃい廃墟は……？」

イメージしていたものとはずいぶん違う。テレビで観るように、遺跡は大迫力で眼前に現れ、視界を覆いつくすのだろうと思い込んでいた。しかし実際はアンデス山脈の大パノラマのほんの一部に小さなシミが「ぽちっ」とついている程度なのだ。

勝手に期待をふくらませていたこっちが悪いのだが、写真や映像もある意味ひどい。いいところだけを切り抜いて見せるから、実際の印象とはかなり違ってくる。

仮に写真も映像も見たことがなく、なんの知識もない状態でやってきたら、このマチュピチュの異形にハッとし、うっとり見惚《みほ》れただろうな、と思う。しかし、ぼくはマチュピチュを前に、気づかないうちに、自分の記憶にすり込まれた映像と見比べている。そして、小さいな、と落胆している。

「己の目で見るまでは、そこは自分にとって永遠にフロンティアだ」とは言ったものの、やはり世にあふれる情報に感受性は毒されている。無垢《むく》な感動を保つためには、それなりに努力が必要なのかもしれない。ぼくはできるだけガイドブックの写真を見ないようにしているのだが、マチュピチュの映像や写真だけは日本で穴が開くほど見てしまっていた。

いずれにしても、ティカル強し。依然として〝遺跡王者〟に君臨中である。


クスコに戻ったぼくは、数日のんびりしたあと、さらに南へ向かって出発した。

数日後、プーノという町で、バスでやってきたセイジさんに偶然再会した。一日同じ宿で過ごし、次の日別れたのだが、それからさらに数日後、ボリビアの首都ラパスでまたもや彼にばったり会った。このあたりは旅のルートが重なるので再会するのはそれほど珍しくないが、互いに相手の顔を見るたびに「あああーっ！」と声を上げ、大笑いしてしまう。

ラパスでは二週間ほど一緒に過ごした。ボリビアに流れるアマゾン河の支流に行ってピラニアを釣ったり、南米の民族音楽「フォルクローレ」を聴きにいったりして、一緒に南米を満喫した。ラパスからは一日ペアランし、次の日別れることになった。

ここから先はルートが違うのでしばらく会うことはないだろう。しかし、セイジさんをますます兄貴のように慕うようになっていたぼくは、彼とはまたどこかで必ずはち合わせするだろうな、と当たり前のように考えていた。

いつの間にか、地球を小さな箱庭のように感じている自分がいた。

25

## アルベルト――二年目・十二月

アルゼンチンとチリの国境付近でのことだ。

標高三四〇〇メートルのあたりで吹雪《ふぶき》になり、小さな村に逃げ込んだ。民家の軒下でしばらく様子を見るが、雪はひどくなるばかりである。時間も遅かったので、先に進むのはあきらめ、テントを張る場所を探すことにした。

寂しげな村だった。いたるところに廃屋《はいおく》が目立つ。

軒先で薪を割っているひとりの痩身《そうしん》の青年と目が合った。鳥打帽を被っており、その奥からぼくを見据える目はどこか影があった。

笑顔で「オラ《やあ》」と声をかけると、彼は無表情のまま、オラ、と返してきた。ぼくは「フリ《寒》

オ、《い》ノ《ね》」と続けた。

そうだな、と彼は低い声で答えた。

「すごい雪だね」

「そうだな」

「…………」

相手の反応が薄いのでどうも会話が弾まない。曖昧に笑っていると、彼が聞いてきた。

「何をしてるんだ？」

「テントを張る場所を探しているんだよ」

「旅行者か？」

「ああ」

「家に泊まっていけよ」

ぼくは意外な思いで彼の顔を見つめた。これまでにも何度となく人の家にお世話になってきたが、こんなにあっさり「家に泊まれ」と言った人はいない。それに、家に招いてくれる人は、ぼくや自転車を見て好奇心を顔に浮かべるものだが、彼にはそういう気配がいっさいなかった。すべてに無関心かと思えるような、冷ややかな目をしていた。

彼について家に入ると顔が火照《ほて》った。居間にはレンガ造りの大きな暖炉があり、そのなかでは薪がパチパチと静かな音をたてながら燃えている。古い家だがなかはこざっぱりしていた。というより、ガランとしているというべきだろうか。最近まで空き家だったかのようだ。

「ひとりで住んでいるの？」

「そうだよ」

彼は熱い紅茶を二杯淹れた。ぼくたちは暖炉の前のイスに座り、ぼんやりと火を見つめながら、静かに紅茶をすすった。

しばらくして、ぼくのほうから彼に、名前はなんていうんだい？　と声をかけた。でないとこのまま何時間も黙って火を見つめていそうだったからだ。

彼は「アルベルト」と答えた。

歳は？——二十歳。仕事は？——牛飼い。この家は？——半年前に移り住んできたばかり。両親は？——ここから一〇〇キロ離れた町に住んでいる。

彼のことを詮索するつもりなどなかったが、相手は必要最小限のことしか答えないので、いきおいぼくが質問ばかりすることになる。彼にしても、ぼくの質問をとくに迷惑そうにしているようでもなかった。

「両親はここにはよく来るの？」

「いや、まだ一度も来ない」

「……なぜ、町を離れてこんな辺鄙《へんぴ》なところに住んでいるんだ？」

「ひとりが好きだからさ」

そこで彼は、その痩せた顔にかすかな笑いを浮かべた。そしてイスから立ち上がり、暖炉の薪を鉄棒でかき回した。

会話は途切れがちになり、再び静かになった。だが、いつの間にか沈黙は窮屈《きゅうくつ》ではなくなっていた。その静寂はむしろ、森のなかにいるような、ゆったりした気持ちにさせるものだった。ぼくは会話を無理につくる努力をやめた。

暖炉の火のパチパチという音だけが部屋に響いている。窓の外はすっかり暗くなっており、横殴りの雪が青白く浮かんでいた。


アルベルトは晩メシに、牛肉と卵を炒めたものと、野菜スープを作ってくれた。素朴な味だが、おいしくて、温かい。ふたりで静かにスープをすすった。

ぼくは自分の荷物からクッキーを取り出し、「デザートにどうだい」とアルベルトに勧めた。彼は、食べられないんだ、と言ってそれを断った。

「嫌いなのか？」

「いや、病気だから」

ぼくは彼の顔を見た。アルベルトの目は相変わらず暖炉の火を見つめている。

「……どこが悪いの？」

「イガド（肝臓）」

パチッと、暖炉のなかで勢いよく木がはじけた。

「……いつから？」

「六歳のときから」

驚いているぼくとは対照的に、彼は平然としていた。このとき、寡黙《かもく》な青年の氷に閉ざされた部分が、わずかに見えたような気がした。だが、そのことについて、それ以上聞く気にはなれなかった。話はとりとめもない方向へと移っていった。

ぼくは各地で撮った数枚の写真を見せた。アルベルトは、そのときばかりはいささかの好奇心を顔に浮かべ、これはどこだ？　と尋ね、ときおり微笑《ほほえ》んだ。

写真を見終わると、やがて会話はやみ、再び暖炉のパチパチという音だけが部屋に響くようになった。会話は必要ではなかった。ぼくは彼に対して、いつの間にか、旧知の友に抱くような安心感を覚え始めていた。

しかし、そんな風に彼を近しく思うにつれ、心に引っかかっていた異物が少しずつ気になり始めた。

なぜ、二十歳の青年がこんな山奥の過疎の村にひとりで移り住んできたのか。どうして両親は病気を持った息子を訪ねにこないのか。

「ひとつ、聞いていいかい？」

「ああ……」

「君がここに移り住んできたことと、君の病気は関係あるのか？」

病の身には、大自然のなかでリラックスして暮らすのが一番だから、というような答えをぼくは期待していたのだ。しかし、アルベルトの口からは、やはり釈然としない答えが出ただけだった。

「別に。ただ、ひとりが好きだからさ」

会話はやみ、ぼくたちは再び火を見つめ合った。ぼくはあれこれ考えるのをやめた。そのまま、静かに夜は更けていった。


次の朝、目が覚めると、雨戸の隙間から一条の白い光が暗い部屋に射し込んでいるのが見えた。寝袋から出て、光に誘われるようにドアに近づき、それを開けると、昨日とはまるで別の景色が広がっていた。

雪は一夜にして世界を真っ白に塗り替えていた。村を見下ろすアンデスの山々はとりわけ美しく化粧し、青空に映えている。

村を散歩して家に戻ると、アルベルトが紅茶とパンを用意して待ってくれていた。朝食の時間も静かに流れていった。

出発準備が整ったところで、珍しく彼のほうから口を開いた。

「次はいつ来るんだ？」

「え？」

ぼくは、アルベルトの言ったことがすぐに理解できず、彼の目を見た。ぼくに向けられた、その緑がかった深い瞳と目が合ったとき、彼の言わんとしていることにようやく気づいた。

「これからのことは、まだわからないんだ」

ここを再び訪れることはまずないように思えたが、そう答えた。アルベルトは少しはにかみながら言った。

「いつでも戻ってこいよ」

その言葉は、なんともいえず温かかった。静寂のなかで生まれた心の交流は、ぼくだけが一方的に感じていたのではなかった。彼もまた、ぼくを友としてくれていたのだ。

走りだしてから何度も振り返り、アルベルトに向かって手を振った。彼も控えめに手を振ってそれに応えた。

村を過ぎるとまわりの壮麗な雪山に目が吸い寄せられた。それらを見ながら走っていると、なぜかアルベルトと過ごした一夜がますますぼんやりと夢のように思えてくるのだった。

26
## 暴風地獄パタゴニア――二年目・二月

チリの首都サンチアゴは古都と近代都市が同居したような街だ。歴史を感じさせる重厚な教会の隣に青いガラス張りの高層ビルが立ち、奇妙な調和を見せている。そして、街はクリスマスを前にカラフルに彩られていた。南米といえば第三世界の混沌《こんとん》ばかりイメージしていたが、この国はほとんどヨーロッパのようだ。

しかし、ぼくがチェックインした安宿「ヌエボホテル」はみすぼらしくて、古くて、幽霊が住みついていそうなぐらい薄暗かった。もうひとつおまけに連れ込み宿である。

ロビーのイスにぼけーっと座っていると、いわくありげなカップルが次から次へと目の前を過ぎていく。オールドミセスに若いツバメ、頭のはげたオヤジにその娘のような少女。へたな観光地を見るよりよっぽどおもしろい。

ヒマにまかせてしばらくカップル観察を続けていると、ひとりの小汚い子どもがフロントの前に立った。バサバサに傷んだ長い髪をうしろで束ね、着古した短パンとTシャツからは汗臭いニオイが漂ってきそうである。珍しいな、チリにも物乞いの子どもがいるのか、と思って見ていると、その男の子が振り返った。

「あああぁーっ！」

ふたり同時の絶叫だった。キヨタくんではないか！

メキシコ以来、八ヵ月ぶりの再会だ。どうしてこうも示し合わせたように、同じ日に、同じ宿にやってくるのだろうか？　セイジさんにしても、ジムにしても、縁ってヤツは本当におもしろい。

ぼくたちは同じ部屋に泊まり、薄汚れたベッドの上で、積もり積もった旅の話をした。

「じつはこんなスゴイことがあったんや」と、ぼくは身振り手振りを入れながらペルーの強盗事件を大げさに話した。するとキヨタくんも「いやいや、じつは俺だって」と、ベネズエラの山中で強盗に襲われ、猟銃で撃たれて弾のひとつが肩をかすめていったという話を、とてもうれしそうに語った。

「やるな……」

「お前こそ……」

どちらがいかに大変な旅をしてきたかという議論は、その日の明け方四時まで繰り広げられたのである。

数日後、ぼくたちはサンチアゴを出発した。再びキヨタくんとの〝ふたり旅〟である。彼はぼくと一緒に走ることをいつも当然のように考えている風だった。そしてぼくは毎回、それを少し不思議に思った。長期のチャリダーはたいていひとりで走るのを好むからだ。それに彼はどうみても集団行動が苦手なタイプだった。ひとりで我が道を行くというイメージが強かった。そのくせ妙に人懐っこいところがあって、地図を広げながら、「どの道にしようか？」と、話しかけてくるときの笑顔は少年そのものなのである。

チリには日本のものと変わらない立派なスーパーがそこかしこにある。それが現れるたびにぼくたちは顔を見合わせる。ひとりの顔がゆるむと、もうひとりもニヤリと笑う。そして、二台の自転車はスーパーへと吸い込まれていく。

チリのスーパーで買うものは決まっている。「パンダアイス」というアイスクリームだ。一リットル約百円と安いうえに、この値段にしては十分にうまい。外は焼けつくような暑さである。ひとりで一リットルをペロッと平らげてしまう。すると体がスッと気持ちよく冷え、眠くなってくる。横を見ると、相棒もボケ面になってうつらうつらしている。

ぼくたちはお互いの様子を盗み見る。そしてひとりがコロンと横になると、もうひとりもコロンと転がる。こうして、スーパーのひさしの陰で昼寝タイムが始まる。ふたりで走ると、お互いがお互いを許し合うのでペースがグッと落ちてしまうのだ。

チリ南部の湖沼地帯《こしょうちたい》に入ると、森のなかから透明な川や湖が次々に現れた。ルアーを投げるとおもしろいようにマスが釣れる。人が少ないので魚がスレていないのだ。

釣れたマスはもちろん食卓にあがる。ソテー、塩焼き、から揚げ、となんでもうまい。筋肉質の我が相棒は料理や釣りといった繊細なことは苦手なので、もっぱら食うばかりだ。

「あは、うまいね、うまいね」と彼はほくほく顔でニジマスのから揚げを食べている。

彼がなぜぼくとペアランをしたがるのか、なんとなくわかってきたような……。

一ヵ月後、南米大陸の南端、「パタゴニア」に入った。

アルゼンチン、チリにまたがるこの地域は、人がきわめて少なく、不毛の荒野が延々と続き、一年中暴風が吹き荒れている。南米を走るチャリダーの鬼門となっていて、「風がひどくて、やってられない」とギブアップし、車やトラックをヒッチハイクしたという白人チャリダーにも会った。

ぼくたちもかなりビビッていたのだが、いざ来てみるとほとんど無風状態である。

「なんや、口ほどにもない」

「ほんと」

ぼくたちは口笛を吹きつつ、のんきに自転車をこいでいく。

それにしてもスケールの大きいところだ。三百六十度見渡す限り、褐色のなめらかな地平線が広がっている。地球はひとつの惑星なんだと実感させられる。

ニャンドゥが五、六匹、地平線に向かって走っていくのが見える。ニャンドゥはダチョウに似た巨大な鳥で、人の背丈ほどもあり、飛べない分、ものすごいスピードで走る。自転車で追いかけてみるが、全然かなわない。太古の地球そのままのようなパタゴニアの大地を、ニャンドゥの群れが土ぼこりを上げて駆けていく姿は、映画『ジュラシック・パーク』の一シーンみたいだ。

ときどき、砂利道の上をアルマジロのような動物がうろちょろしている。人のいないところにはいろんな珍獣がいるらしい。

そんな平和な日々は、しかし突如として崩壊するのである。ある日、パタゴニアがとうとう正体を現した。

風はゴオオオオオオッと地鳴りのような音をたて、横からメチャクチャに吹きつけ、ぼくたちは紙相撲の力士のようにあっけなく押し倒された。

倒れたぼくの横を、身をかがめ、顔をゆがめながらキヨタくんが追い抜いていく。歩くよりもずっと遅いスピードで、ぼくに一瞥《いちべつ》もくれず、無言のまま抜き去っていく。声をかける余裕などないのだ。

ぼくは暴風に体を預けるような格好で全体重をかけて倒れた自転車を起こし、よろめきながら走りだす。すると少し先で相棒がみじめに転がっているのが見える。倒れた彼の横を、ぼくも無言でよろよろと通り過ぎる。だが、二〇メートルもいかないうちにぼくもベチャと倒れる。そこを再びキヨタくんが無言で追い抜いていく……ベチャ。

そんなことを繰り返しているうちに、ひどくおかしくなってきた。暴風にもがく、ぼくたちの伏せた顔の下には、いつの間にかニヤニヤした笑いが浮かんでいた。

27

## アメリカ大陸のゴール――二年目・四月

風がやんだある日、小さな村のキャンプ場で晩メシを用意しているときだった。

「おおい！」という声に振り向くと、ひとりの男が満面の笑みでこちらに全力疾走してくるのが見えた。

「ああ！　セイジさん！」

ぼくたちは握手したあと思わず抱き合ってしまった。

そこへキヨタくんが釣りから帰ってきて、「あああーっ！」と同じように声を上げた。彼らも以前、アルゼンチンの町で会っているのだ。

南米を走るチャリダーは国籍を問わず、その数は非常に多い。しかもほとんどの者がウシュアイアを目指すので、ルートが重なり、よく再会を繰り返す。自然とネットワークみたいなものができあがり、「どこどこのあいつは強い」とか「あいつは弱いうえにギャグが恐ろしくつまらない」といった噂が飛び交う。初顔合わせでも、二、三言目には、「ああ、あなたですか、噂はかねがね……」なんてことがよくあるのだ。

セイジさんは自転車を別の町に置いて、この近くにある山を見るためにバスでやってきたらしい。ぼくたち三人は息をつく暇もなくしゃべった。風にどれだけひっくり返ったか、どれだけ大きなマスを釣ったか、どの川がいい釣り場だったか、ニャンドゥは見たか、ほかにどんなチャリダーに会ったか……。

しばらく大騒ぎしたあと、彼はやってきたバスに飛び乗った。ぼくたちは手を振って、彼を見送った。セイジさんは、はちきれんばかりの笑みを浮かべ、バスの窓から上半身を出し、まるで子どものように大きく手を振っている。そんな彼のはしゃぎっぷりがなんだかおかしかった。考えてみると、さっきの三人の騒ぎ方もふつうじゃなかった。

ここがパタゴニアだからだろうな、と思った。見渡す限り荒野が広がり、強風が吹きすさぶこの地の果てで、同じように自転車でもがきながら走っている友に会えば、戦場で仲間に再会したような気分にもなる。

バスは砂煙《すなけむり》を上げて遠ざかり、セイジさんがだんだん小さくなっていく。バスはやがて見えなくなり、砂煙だけが荒野の上に浮かんでいたが、それも間もなく消え、静寂が再びあたりを覆った。

もうすぐウシュアイアだ、と思った。

みんな最果ての地を目指して集結してきたのだ。何か一体感のようなものを感じて、愉快な気分になってくる。

サンチアゴを出てから約三ヵ月、とうとう海に出た。

夕方だった。金色の光があふれるなか、海の向こうに陸地が見える。フエゴ島だ。ウシュアイアはあの島の南、約五〇〇〇キロのところにある。

船に三時間揺られて島に渡る。小さな港を出るとすぐに荒野が広がった。その上を猛烈な風が吹き荒れている。大陸側となんら変わらない。

しかし四日後、ゴールの手前一〇〇キロあたりから状況は一変した。山が四方を囲み、風がピタリとやんだ。そして紅葉した南極ブナが真っ赤なトンネルになって道を覆ったのだ。細密画のような赤い葉むらの向こうには、ギザギザに切り立った雪山の稜線《りょうせん》がのぞいている。ため息をもらしながら、ペダルをまわす。アメリカ大陸の最後にこんなご褒美《ほうび》が用意されているなんて、ちょっとできすぎだ。

最後の坂を上りきると、眼下に町並みが見えた。とがった山に囲まれた、スイスを思わせるような美しい町だ。洗練された雰囲気が漂っていて、最果てという印象はほとんどない。

それにがっかりしたわけでもないのだが、ぼくはひどく淡々としていた。アラスカをスタートして一年九ヵ月、自分の足で大陸を縦断し、世界最南端までやってきたという実感は、どういうわけかあまりわいてこなかった。

ただ、どっしりした重い手ごたえだけはあった。心地いい疲労感が体の隅々にまで行き渡り、肌がぴりぴりと細かく震えているような感触があった。

今晩のご馳走をあれこれ考えながら、明かりの灯り始めた町に向かって、ゆっくり坂を下っていった。

# 第三章
# ヨーロッパ

## 28 北欧のサバイバル旅――三年目・七月

アメリカ大陸縦断を終えたぼくは、北欧、デンマークに飛んだ。

ここからはスカンジナビア半島をひたすら北上し、ヨーロッパ最北端、「ノールカップ」を目指す。南米で最南端に向かっていたと思ったら、次は一転、最北端である。チャリダーというのは「到達した！」という自己満足に浸るために、世界の〝端っこ〟に向かって走るおバカな種族なのだ。

南米から北欧への変化は、心の準備はしていたものの、想像以上に強烈だった。美しい町並みや広い自転車レーンに感動していたところまではよかったが、スーパーに入って売り場を見た瞬間、体が凍りついた。トマト一個が約百二十円。アルゼンチンならステーキ用の肉が買える値段だ。頭にきた。

「こうなりゃ意地でも支出を抑えてやる！」

いつもの開き直りである。そして、旅はサバイバル色を強めていくのだった。

寝る場所は毎日森だ。北欧はだいたいどこも町と町のあいだに森が広がっている。きれいに間伐《かんばつ》されているので、テントを張るスペースにはまったく困らない。しかも一面にブルーベリーがなっていて、ビタミン補給もばっちりだ。

体は川で洗う。はっきりいってホテルのシャワーよりもずっと快適である。ときどき唇が紫色になることもあるが、体が震えるぐらい気持ちいい。

ところが、どんどん北上し、北極圏を越えたあたりから〝川風呂〟もキツくなってきた。真夏とはいえ、天気が崩れると日本の初冬並みの寒さになる。低い山にも雪や氷河が目立つようになり、そこから直接流れ出してくる川の水は、飛び上がるほど冷たい。この水で体を洗うのはちょっとしたコツがいる。

まず足首まで浸かる。冷たさはすぐに痛みに変わり、最初は十秒と持たずに慌てて川原に上がるだろう。多くの人はここであきらめるに違いない。しかし、人間の順応性を信じることだ。

再び川に入ってみよう。さっきよりも痛みは少ないはずだ。思いきって膝下まで浸かってみる。二十秒は我慢できるようになっている。川原に上がって痛みが引いたら、再び川に入る。これを繰り返すのだ。そのうち体が冷えてきて、水温と体温の差が縮まっていき、だんだんと体を深く沈めていくことができる。膝上↓尻↓胸という風に。頭のてっぺんまで浸かり、髪を洗うことができたら合格だ（誰もやらないか……）。

しかしどれだけ体を慣らしていっても、順応性には限界があるようで、胸まで浸かった瞬間、急に鼓動が鈍くなるように感じることがある。心臓が止まるんじゃないかと本当に恐ろしくなってくる。そこで、握りこぶしで心臓のあたりをドンドン叩く。右手で叩きながら左手で髪を洗う。そしてぼくはフリチン。我ながらマヌケな姿だ。

メシは当然自炊だ。動物性タンパク質の補給は釣りにかかっている。ノルウェーの海岸一帯は、氷河に削られてできた巨大な谷に海が入り込んでいる、いわゆるフィヨルドという地形が続く。その迷路のような入り江が魚にとって恰好《かっこう》の住処《すみか》になるのか、それとも単に人がいないからなのかはよくわからないが、ときに魚は入れ食い状態になった。

丸々太ったサバなんかが釣れると、ブツ切りにしてあり合わせの野菜と一緒に煮る。味つけは塩だけ。ダシも化学調味料もいらない。きわめてシンプルな潮汁《うしおじる》だが、これがとびきりうまい。サバの香りとコク、そして野菜の旨味《うまみ》が汁に溶け出している。フィヨルド特有の、海からそそり立つ巨大な岩山を眺めながら、具をかき込み、汁をすすり、ため息をつく。

タラはサバ以上にたくさん釣れた。煮つけ、水炊き、ソテーと、何にしてもうまいのだが、ときどき調子にのって一回では食いきれないほどの量を釣ってしまう。そういうときは、身を三枚に開き、紐《ひも》を通して自転車にぶら下げる。そのまま走ると、切り身は風にさらされ、上等の天日干しができる。それをちぎって味噌汁に入れると、潮の香りとタラの甘みが出て、じつに微笑ましい味になる。

ある日、いつものようにタラの切り身を風に当てながら走っていると、目の前で小鳥が車にはねられ、道路に転がって動かなくなった。このとき、「ああ、かわいそうに」という気持ちが起こるよりも先に、「あ、食えるな」と思ってしまった。

うーむ、どんどん野生化しているようだ……。

29
## タイシア——三年目・九月

ヨーロッパ最北端のノールカップに立つと、海が不思議なほど丸く見えた。地球のカーブだろうか、と一瞬驚いたが、実際はどうなんだろう。この水平線の湾曲ぶりを見ると、それ以外には説明がつかないような気がする。

観光バスや車にまじって、チャリダーたちもたくさんいた。地球をかたどったモニュメントの前で、みんな満足げな顔で白い歯を見せ、そこかしこで笑い声が上がっている。国旗を掲《かか》げて写真を撮っている者までいた。あれはポーランドの国旗だろうか。

その日は展望台の近くにキャンプした。八月中旬だというのが信じられないほどの寒さだ。明け方、目を覚ますと氷点下になっていた。

ノールカップを折り返すと、フィンランドの広大な森をひたすら南下する。首都ヘルシンキからは船でバルト三国のひとつ、エストニアに渡った。ここまで来ると少しは暖かくなってきたが、街路樹はすでに色づき始め、町には秋の気配が色濃く漂っていた。

首都タリンの旧市街に入ると、童話の絵本に出てきそうな世界が広がった。古い家並みや石畳が城壁に囲まれ、中央広場にはやたらとのっぽな教会がそびえている。その広場では野外劇が行われていた。人いきれにまじってそれを観ていると、前にいた女性が振り返り、こっちをじっと見た。スラリと長い足に小さな顔。モデルのような子だ。歳は二十二、三といったところか。その鋭い目に見つめられ、ぼくは目をそらすタイミングを逸してしまった。

彼女はニコッと微笑んで、「コンニチハ」と言った。

日本語を話せるの？　と英語で聞くと、彼女は「スコシダケ」と答えた。なるほど、日本語をしゃべりたくてぼくのほうを見ていたのか。

大学生で、名前はタイシア、日本語は二週間前から勉強し始めたの——彼女は流暢《りゅうちょう》な英語でそう話した。

「日本語学科なんてあるの？」

「いいえ、私の専攻は地質学よ」

「じゃあ、なぜ日本語を？」

「言葉を覚えるのが好きなの」

しばらく立ち話をしたあと、彼女は約束があるらしく、「また会いましょう」と言って去っていった。


夕方、スーパーに買い物に行くと、さっきの彼女がプレイボーイ風の男と一緒にいるのが見えた。男は彼女をそばに立たせ、公衆電話で陽気に話している。彼女はぼくを見つけると、男に何か話しかけ、こっちにやってきた。

「ハイ、ユースケ」

おや、名前を覚えてくれている。

「いま彼に言った言葉、エストニア語じゃないよね？」

「フランス語よ。彼、フランス人の友だちなの」

「フランス語もしゃべれるの？」

タイシアはその鋭い目に意味ありげな笑いを浮かべて、「私は十一ヵ国語しゃべれるのよ」

と言った。

　おもしろい。ぼくは彼女をからかってやろうと、中南米で覚えたスペイン語で話しかけてみた。

「アブラス・エスパニョール《スペイン語は話せるの》？」

　彼女は目を大きく開いた。

「スィー《もちろんよ》！　トゥ・アブラス・タンビエン《あなたもしゃべれるの》!?」

　うわ、ぼくよりずっと流暢だ。彼女は気の合う仲間を見つけたといった感じで、猛烈にしゃべりだした。ぼくはたじたじとなった。聞くと、ヨーロッパをはじめ、中央アジアの言葉まで習得しているという。

　いったいどれだけ勉強すれば、それだけの言語が頭に入るんだろう。ぼくは彼女の歳を聞かずにはいられなかった。

「ふふふ、十五歳よ」

　ぼくは口を開けたまま、目の前の彼女を見た。タイシアは学生証をバッグから取り出した。たしかに十五歳だ。しかもその学生証は、日本でいえば東京大学にあたるタリン大学のものなのだ。

「学年を飛び越えて、今年大学に入ったのよ」

「……アー・ユー・ジニアス《君は、天才か》？」

彼女は溜《た》めてきた含み笑いを一気に破裂させるかのように、「イエス！」と言って大笑いした。ぼくは狐につままれたような思いで、体を揺らして笑っている彼女を呆然《ぼうぜん》と見ていた。

タイシアに引っ張られるようにして、小ぎれいなカフェに入った。彼女はコーヒーを飲みながら、日本語についてあれこれ質問をしてきた。日本語で「白」はなんて言うのか？

「黒」は？「赤」は？「今日」は？「明日」は？

ぼくに日本語の先生になってもらいたかったらしい。もちろん、喜んで引き受けることにした。天才少女の教師なんて身に余る栄誉だ。

それにしても凄まじい勢いである。息つく暇もなく矢継ぎ早に質問が飛んできて、教える側のぼくのほうがしどろもどろになってしまう。

いくつか単語を教えたあと、テストをしてみた。意外にも最初はミスが多かった。だが、ハイペースで繰り返すので、結局は相当な速さで覚えていく。

夜の八時にレッスンを終えたとき、少しもテンションの衰えないタイシアに比べ、ぼくは相づちをうつのも億劫なほどクタクタになっていた。別れぎわ、彼女は言った。

「明日も会ってくれる？」

次の日の夕方、約束の五時よりも少し早めに中央広場に行くと、すでにタイシアは来ていた。一緒に歩きだすと、彼女はすぐに日本語の質問を始めた。相変わらず、相手を圧倒するような勢いだ。ぼくは彼女の質問に答えながらも、かすかに不愉快な思いを抱いた。彼女にいいように振り回されている気がしてきたのだ。

そのうち、空を覆っていた黒い雲から大粒の雨が落ちてきた。急いで城壁のアーチの門に逃げ込む。やがて本格的な土砂降りが始まった。

パステルカラーの古びた家が通り沿いに並んでいる。雨が石畳に激しく打ちつけていた。白いもやがだんだんと濃くなり、家の輪郭がしだいにぼやけ、現実感が失われていく。異国にいるな、と感じた。そして、隣にはとんでもない少女が立っている。

雨がいっこうにやみそうになかったので、ぼくたちは一、二の三で門を出て、はす向かいの家の軒下に駆け込んだ。たどり着いたところで、ふたりで息を弾ませながら大笑いした。次に、五軒ほど先にあるパン屋を目指してひさしから飛び出した。と、そのとき空が一面に白く光り、耳をつんざくような雷鳴がとどろいた。

パン屋の軒下に逃げ込んでから、タイシアは気がふれたように大笑いし、ぼくも腹を抱えて笑った。いつの間にか不愉快な気持ちが消えている。やはりこの子にはかなわないな、と苦笑まじりに思った。

　前日と同じカフェでレッスンを終えたあと、タイシアが言った。

「明日も会ってくれる？」

　ぼくはちょっと答えに窮した。明日はそろそろ出発しようかと思っていたのだ。冬が迫ってきているので一日も早く南下したかった。それにタリンの宿代は安くはない。それを払い続ける余裕はぼくにはなかった。

「明日は出るつもりなんだ」

　タイシアは憮然《ぶぜん》とした表情になった。

「どうして？　あなたにはいくらでも時間があるじゃない」

「予定よりかなり遅れているんだよ」

「イヤ。もっといてよ。どうせ予定なんてあってないようなもんでしょ」

　そりゃそうだけど、なんちゅう言い草じゃ。

「いいわ、明日も五時に広場で待っている。六時まで待ってあなたが来なかったら帰る」

「…………」

　結局、ぼくは次の日も出発できなかった。五時に広場に行くと、タイシアは満面に笑みを浮かべて手を振ってきた。

　その日のレッスンが終わったあと、タイシアは昨日と同じことを言った。

「明日も会って」

「だめだよ、今日で最後だ」

　ぼくは断定的な口調で言った。

　タイシアは怒ったような、それでいてちょっと困ったような複雑な表情を浮かべた。次の瞬間、彼女の目に涙が浮かんだ。

　――えっ!?

　眼光の鋭さは消え、そこにいるのは、まだあどけない十五歳の少女だった。そして、その濡れた瞳には、これまで見せたことのない、頼りなげな色が浮かんでいたのである。

　――まさか、これって……。

　意外だった。自分は彼女にとって単なる日本語教師でしかないと思っていた。

　タイシアは小さい声で言った。

「明日も待っているから。六時まで待って、あなたが来なかったら帰る」

「………」

　店を出ると、彼女をバス停まで送っていった。

タイシアはバスを待つあいだ、将来のことを話した。イタリア語が好きで、大学を出たらイタリアで仕事がしたいの、と彼女は言った。君ならイタリアの大統領にもなれるかもしれないな、と返すと、それもいいわね、と彼女は微笑んだ。

暗闇にバスのライトが浮かんだ。彼女はいきなり顔を下に向け、ぼくの胸に飛び込んできた。肩が小刻みに震えている。ぼくはその肩を遠慮《えんりょ》がちに抱いた。バスはぼくたちの前でとまった。タイシアは顔を上げて、その小さな顔をぼくの口元に寄せ、そっとキスをした。大人びて見えるけれど、あどけない少女の匂いだった。

タイシアはバスに乗り込み、振り返ってぼくを見た。

彼女が日本語でそう言ったとき、扉が閉まり、バスは動きだした。ぼくは暗がりにひとりぽつんと取り残され、バスを見送った。思いがけなく悄然となっていた。彼女の「サヨナラ」には、ふつうの「さよなら」よりも、もっと悲しい響きがあったのだ。

「サヨナラ……」

次の日、悩んだあげくぼくは出発した。

夕方、ひとりで待つタイシアのことを思うと胸が痛くなったが、この街にずっと居続けるわけにもいかない。どうせ出るのなら、早いほうがいい。

自転車をこぎながら、パステルカラーの家が流れていくのを眺めた。広場が現れ、のっぽの教会が見えた。いつも日本語のレッスンをやったカフェが、建物の向こうにゆっくり消えていった。

タイシアと過ごしたこの街が、いつの間にか自分の肌に深く染みついていた。街角のひとつひとつがいやに懐かしいのだ。

見覚えのあるパン屋が現れた。土砂降りのなか、彼女と大笑いした店だ。急に胸がつまった。ブレーキをかけようとしたが、それを踏みとどまり、ぼくは自転車をこぎ続けた。

早いほうが、いい……。

それは、自分に言い聞かせる言葉だった。

30

## キノコ売りのじいさん――三年目・十月

ポーランドの首都ワルシャワに着いたのは、落ち葉の舞う、曇りがちのある日だった。

自転車を宿に預け、どこか重々しい感じのする街をあてもなく歩く。

歩道には腕や足のない物乞いがたくさんいた。障害を持った人はひとり残らず路上に出ているんじゃないかと疑いたくなるような光景だ。

そのなかのひとり、両足のない中年男と目が合った。こっちの心のなかをのぞき込んでくるような鋭い目に、心臓を素手でつかまれたような思いがした。その瞬間、いままで見たこともないリアルな映像が頭に浮かんだ。足のない自分が、腕だけで道を這っている姿である。

ぼくは息苦しくなり、逃げるようにその場を立ち去った。


それから数日後のことだ。

森に囲まれた道を走っていると、前方に人がいるのが見えた。キノコ売りのようだ。

この季節、村人たちは森で採ったキノコを路上で売っている。これがびっくりするぐらいうまい。シメジとマツタケをかけあわせたような味がする。

「今晩はみそ汁に入れるか」と内心つぶやきながら近づいていくと、おや、と思った。初老のじいさんである。それはいいのだが、彼が腰かけている自転車が奇妙だった。車輪が三つあり、ハンドルのところにペダルがついている。どうやら手でこぐ仕組みらしい。彼は、片足がなかった。

物乞いだろうか、と一瞬思った。あごには無精《ぶしょう》ひげが伸びており、服装もひどくみすぼらしい。ところが、じいさんの前にはきれいに並べられたキノコがあった。その姿はちょっと感動的だった。彼はこの国の障害者をとりまく風潮に流されずに、キノコを採って自活しているのだ。

ぼくはいつもどおり一ズルチコイン（約四十円）を取り出してキノコを指し、「この分だけおくれ」と笑顔を向けた。すると、じいさんは怒ったような顔つきになって、「ニエ《NO》、ニエ！」とわめき、それから早口で何かをまくしたて始めた。そんなはした金じゃ俺のキノコは売れねえ、とでも言っているようだ。

少しがっかりしてしまった。たしかに、その三輪の自転車で森に分け入り、キノコを採るのは大変だろう。しかし一ズルチあれば、ふつうはかなりの量が買えるのだ。

だが、このときのぼくには安っぽい同情心もあった。かわいそうだな、と思ったのだ。

――しかたがない、もう少しあげるか。

ぼくは財布から五ズルチ札を出した。するとじいさんはもっと激しい調子で「ニエ！　ニエ！」と怒鳴った。そして服のポケットから自分の財布を取り出し、なかからたくさんの札を取り出して、「これを見ろ」といわんばかりに、ぼくの鼻先に突きつけてきたのだ。体の奥に冷たいものが走った。もっと出せ、というのか？

じいさんは札を財布にしまうと、次々とキノコを袋に入れ始めた。ぼくは慌てて制止しようとしたが、彼は相変わらずポーランド語で何か言いながら手を止めようとしない。

そんなとき、彼の言葉のひとつがスッと耳に入ってきた。——プレシェント。

「えっ？」

じいさんはキノコで大きくふくらんだ、その汚れたビニール袋をぼくの前に突き出した。

「……プレゼント？」

ぼくがそう聞くと、じいさんは大きく頷《うなず》いた。その目には、何かを訴えかけてくるような力強い光があった。

ようやく、すべてに合点がいった。じいさんは最初から、「貧乏旅行をしているお前のようなヤツから金が受けとれるか」とまくしたてていたのだ。そして自分の財布の中身を見せたのは、「俺は物乞いではない」という意味だったのだ。

体が震えた。なんという誇り高さだろうか。そして、なんという寛大さだろう……。

さっきまで彼を疑っていた自分の心を振り返った。いろんな思いがぐちゃぐちゃに絡み合って、熱いものがこみ上げてきた。この気持ちをなんとかして伝えたかったが、ぼくがポーランド語で言える言葉は、たったひと言だけだった。

「ジュンクイエ《ありがとう》」

彼は毅然《きぜん》とした表情のまま、コクリと小さく頷いた。

走りだしてからも、体の奥底が火照っていた。森を抜けると、夕日のまぶしい光が顔に当たった。それを浴びながら、心のなかで何度も「ジュンクイェ」と唱えた。いったん涙がこぼれ始めると、とめどなく流れ続けた。

31

## ダニエルの質問――三年目・十一月

チェコに入ると、雰囲気がなんとなく明るくなった。

人々のぼくを見る目がどこか温かい。バス停にいる老人や若者が、走っているぼくに笑顔で手を振ってくる。その表情を見ていると、日だまりのなかに入ったような安らいだ気持ちになった。

じつはここに来るまでに、ちょっと嫌な雰囲気のところがあったのだ。ぼくを見るなり、目に冷笑を浮かべる人が何人もいた。野次《やじ》のようなものを飛ばしてくる者もいた。

旅をしていると、国や地域によっては、ときどきアジア人蔑視《べっし》のようなものを感じることがある。人種への偏見など、個人の意識の問題だろうが、やはり地域ごとに多少の傾向があるように思える。

チェコは、空気がやわらかかった。

首都のプラハに着くと、友人の家を訪ねた。ジャンとラディカという若い夫婦だ。子どもがふたり。彼ら夫婦とは以前ノルウェーで知り合っていた。

旅好きな国民性なのか、とくに夏の北欧ではよくチェコ人に会った。みんなフレンドリーで、やたらと住所を教えてくれる。ジャンとラディカも「プラハに来たらぜひ立ち寄ってくれ」と強く誘ってくれていた。

三ヵ月ぶりに会うと、彼らは笑顔で迎えてくれ、ゆっくりしていきなよ、と勧めてくれた。最初は遠慮していたが、どうやら本心で言ってくれているようなので、お言葉に甘えることにした。

ある日、高校で英語教師をしているラディカからこんな話を持ちかけられた。

「あなたの旅のこと、私のクラスで話してくれない？」

英語の特別授業として、ということらしい。

講演なんて気恥ずかしかったが、元社会主義国の学校や学生たちがどんな風なのか見てみたいという誘惑にもかられ、引き受けることにした。

校舎は立派でモダンな建物だった。予想とは少し違い、構内は開放的な空気にあふれている。生徒たちが私服のせいもあるのだろう。高校というより日本の大学みたいだ。

クラスの雰囲気も非常に明るく、講演が始まる前から生徒たちの目には好奇心のようなものが浮かんでいた。話し始めると、やはり反応がいい。ジョークにもよく笑う。こういうクラスなら教えるほうも楽しいだろうな。

ひととおり話し終えると、質問を受けつけることにした。次々に手が上がった。パンクは何回したのか？　病気はしたか？　恋はしたか？——

生徒のひとりに、最初から少し気になる男がいた。女性のようなきれいな顔立ちで、やけに落ち着いた目をしている。講演中、ぼくがジョークを言っても、ひとり、どこか余裕のある笑いを浮かべていた。クラスのみんなも彼には一目おいているような雰囲気だ。その彼が手を上げた。質問を促すと、彼は立ち上がり、静かな口調で言った。

「この国で人種差別を感じたことはありますか？」

ぼくは胸にかすかな動揺を覚え、彼の顔を見返した。まさかチェコでこの質問がくるとは思わなかったのだ。ぼくに対する人々の反応から、この国にはアジア人への偏見なんて存在しないのだろう、と気楽に考えていた。しかし、もしそれが本当なら、彼の口からこの質問は出ただろうか。

ぼくは答えるかわりに、彼に聞いてみた。

「君にはアジア人に対して偏見があるかい？」

彼は少し考えたあと、イエスと言った。教室は水を打ったように静かになった。ぼくは続けて言った。

「そう、誰でも自分と異なるものには偏見を持つ。それが未知のものだとなおさらだ」

クラスみんなの目がぼくに集中している。

「ぼくはそんな無知からくる偏見を少しでもなくしたいと思う。相手からも、そして自分からもだ。だからこうしていろんな人たちと関わって旅をしているんだ」

おいおい、それは本当のことかよ？　と思いながらも勝手に舌がまわった。

ぼくの言ったことがきちんと伝わったのかどうか、みんなの反応からはよくわからなかったが、質問した例の二枚目は霧が晴れたような顔つきになっていた。

それから再び質問が続き、クラスはだんだん元の活気に戻っていった。チャイムが鳴り始めたところで、さっきの二枚目がもう一度手を上げ、こんなことを言った。

「今晩飲みに行きませんか？」

――えっ？　高校生だろ？

ぼくが驚いて担任のラディカのほうを見ると、彼女は女子高生のようにはしゃいだ様子で

「それはいいわね！」と賛同していた。

その夜、例の二枚目、ダニエルは自分のガールフレンドやクラスメイトらと一緒に四人でやってきた。ぼくたちは地下のバーに行った。ダニエルの親友のラディックが、「日本にはダンキンドーナツはあるのかい？　俺はチョコがかかったやつが好きなんだ」とうれしそうに言い、ダニエルは、「こいつはいつもダンキンドーナツの話なんだ」と言ってみんなで大笑いした。

この国では十八歳から飲酒が許されているらしい。彼らはまだその年齢ではなかったが、すでに酒を飲み慣れている様子だった。チェコ人に会うと、彼らはかなりの確率で「バドワイザーはもともとチェコのビールなんだ」という話をする。ビールを造るのも飲むのも盛んな国なのだ。アルコールの年齢制限にも日本ほどは厳しくないのだろう。

ひとしきり飲んだところで、ダニエルが、「ぼくたちからのプレゼントだよ」と言って、かばんからピンク色の包みを取り出した。ふわっと温かい空気に包まれた。プレゼントを用意してくれたその気持ちもうれしかったが、放課後の短い時間だったにもかかわらず、きちんとラッピングをする、その彼らの細やかな心遣いがやけに心に響いたのだ。

ぼくはピンクの包装紙を丁寧に開けていった。

なかから出てきたのは、白い色で美しく装丁《そうてい》された、プラハの写真集だった。

32
## 痛み——三年目・五月

えらく冷えるな、と思いながら、テントから顔を出す。外に置いた温度計を見ると、マイナス九度。あたりの枯れ野には霜が下りて、一面真っ白である。

ドイツで、冬に追いつかれていた。

朝、明るくなるのは八時過ぎだ。凍ったテントを叩いて霜を落とし、濡れたままそれを畳んで走りだす。走る。ただ、走る。太陽は空の低いところを移動して、あっという間に西の方角に沈もうとしている。午後五時、暗闇が枯れ野を覆い始める。テントを張り、いつもの手順で機械的にメシを作る。翌朝、起きると再びテントが凍っている。叩いて霜を落とす。

——俺は何をやってるんだろう。

日本を出て二年と五ヵ月。旅の最初のころのような、みずみずしい感覚はなくなっていた。毎日ただ漫然《まんぜん》とペダルをこいでいるだけだ。〝非日常〟だった旅の日々が、すでに〝日常〟になってしまっているのだ。

単調な日々を変えたかった。そのためには非日常の世界に飛び込むことだ。そしていまのぼくにとっての非日常は、一ヵ所にとどまり、働くことだった。会社勤めの人が旅に出るのと、ちょうど反対である。

ロンドンに行こう、と思った。


オランダ、ベルギー、フランスと走ったあと、船でイギリスに渡った。ロンドンならいくらでも仕事がある、と以前会った旅人から聞いていたのだ。

実際、その話は本当だった。ロンドンに着いた翌日には仕事が決まった。日本食の弁当屋だ。もちろんモグリ、つまり不法就労だが、社長が話のわかる人で、快く受け入れてくれた。トルコ人が住みつく怪しいフラットに居を構え、ロンドンでの生活が始まった。


やがて長い冬が終わりを告げ、旅に出て三年目の春を迎えていた。

その日は、ロンドンでは珍しく、朝から晴れわたっていた。

ぼくは日本にいる友人に聞きたいことがあったので、国際電話をしようとした。だが、その直前に、セイジさんの顔が浮かんだ。そうだ、セイジさんにかけてみよう、と思った。ひょっとすると、もう日本に帰っているかもしれない。

アメリカや南米で何度も会い、ぼくは彼を兄貴のように感じていた。彼の声が聞きたかった。南米でやっていたように、下ネタを言い合って大笑いしたかった。

　ぼくは旅先で何かバカバカしいことがあるたびに、セイジさんにどう伝えようかと考えては、ひとりでニヤニヤしていたのだ。

　電話口には母親らしい人が出た。セイジさん、びっくりするだろうな、とワクワクしながら彼の名前を告げた。

　電話の向こうで少し沈黙があった。

「あのう、失礼ですが、セイジとはどういったご関係でしょうか？」

　と、母親らしき人が言った。

「あ、南米で、一緒に自転車で走ってお世話になった者ですが……」

　そうですか、という声が聞こえたあと、また少し静かになった。ようやくして、

「……セイジは、帰ってこなくなりました」

「……………？」

　頭の隅に、何かが引っかかった。だが、それを払いのけて、別の、もっと現実的にありえそうなことを考えた。ははあ、あの人のことだから、現地の女性と恋に落ちたのだろう。帰ってこない、ということは、まさかもう子どもができちゃったとか……。

「あの、セイジさん、いまどこにいるんですか？」

「…………」

沈黙が続いた。鼓動がどんどん速くなってくる。しばらくして、電話口の向こうから、何かを決意したような声でお母さんが言った。

「セイジは、亡くなりました」

「…………」

「でも、まだ私たちも詳しい状況がわからないんです。一週間前に大使館から連絡が入ったばかりで……。チベットの山奥で雪に埋もれて、遭難したらしいということだけ……。現地の人がテントと自転車を見つけて、連絡してくれたらしいです。でも、まだ雪が深くて、遺体も収容できていないそうです」

「…………」

「石田さん、でしたね。共通のお友だちの方に連絡してあげてください」

ぼくは電話を切ると、テーブルの上にあった数本のビールの空き缶を激しく払い落とした。凄まじい音が鳴り、それらは床に散乱した。ぼくは悲鳴を上げ、部屋の壁を殴りつけた。

憎悪の念が急激にこみ上げてきた。どうしてあの人なんだ。死んでもいいヤツはほかにいくらでもいるじゃないか。たくさんの顔が頭に浮かんだ。あいつを殺せばいいじゃないか。あいつでもいいじゃないか。どうしてセイジさんなんだ！

パタゴニアで再会したときの、彼のはちきれんばかりの笑顔や、手を真っ黒にしながらぼくの自転車を整備する彼の姿が何度もよみがえってきて、そのたびに胸がきつく締めつけられた。ぼくは気が遠くなるほど長いあいだベッドにうずくまり、嗚咽《おえつ》した。

やがて涙は涸《か》れ、少しずつ落ち着いてきた。しかし、痛みが引いていくことはなかった。波のように繰り返し押しよせてきては、ぼくを何度も締めつけた。

これほどの痛みを自分の親や友人に与えてはいけない。薄暗くなった部屋のなかで、そう思った。そのとき初めて、これまでの自分がいかに不遜《ふそん》な態度でいたかを知った。

「死んでもええんじゃ、死んだら、そのときはそのときじゃ」

出発するときもそうだったし、旅のあいだを通しても、ぼくのなかにはずっとそんな思いがあった。しかし、なんて独りよがりで、幼稚な考えだったのだろう。こんな痛みを、親や友人に与えてはいけない。どんなことがあっても……。

そう誓っているうちに、再び耐えがたい痛みが体の奥からわき起こってきた。ぼくはベッドのシーツを握りしめ、そこに顔をうずめた。

それからもロンドンの日常は淡々と過ぎていった。自分のなかで起こった大きな変化とはまったく無関係に、ぼくをとりまく世界は何も変わることがなかった。

そのころからよくパブに飲みにいくようになった。ロンドンはこれまでの国々のなかでもとくに物価が高く、ビールを二杯飲めば一日の生活費をすってしまうのだが、そんなことはもうどうでもよくなっていた。古ぼけた暗いパブで、埃《ほこり》っぽい匂いをかぎながら濃いスタウトを飲んでぼんやりする時間を、ぼくはいとおしく感じた。バイト代の多くが飲み代に消えていった。

ロンドンに来て半年が過ぎようとしていた。

六ヵ月のビザが切れる寸前にイギリスを出ることにした。弁当屋の社長やバイト仲間に礼を述べ、荷物をまとめてフラットを引き払い、慣れ親しんだ街をあとにした。

走り出すと、古めかしい街並みや街路樹が流れた。

郊外に出ると、薄緑色の草原が、まぶしい初夏の日に照らされて輝いていた。イギリスでは珍しく、朝から晴れわたった日だった。

草の香りのする風を顔に受けながら、彼が横に並んで走っているのを感じた。

いつかアフリカを走りたいって言ってましたよね、と彼に語りかけた。垂れ目を細めて笑う彼の顔が浮かんだ。

――一緒に、行きましょう。

33
## エイコさんの言葉——四年目・七月

イギリスからフランスへ船で渡り、北部のノルマンディ地方を走る。それから再び船に乗ってアイルランドに入った。

一週間ほど走るとゴールウェイという町に着いた。そこで再び船に乗るために港へ向かう。船を待つ人々の列に自転車ごと乗りつけると、ぼくの前の女性が振り返った。その人が日本人で、しかもとびきりの美人だったのでドキッとした。スラリとしたジーンズ姿にワイルドなショートカット。彼女はぼくに微笑み、「ひとり旅ですか？」と言った。

はい、と答えると、彼女は「あらら……」とつぶやいた。そのおかしな反応に、ぼくはどう応えていいのかわからなかった。奇妙な人だ、と思った。見た目のシャープな印象とは裏腹に、のんびりしたやわらかいオーラが出ている。

やがて乗船が始まり、間もなく船が出航した。行き先はアラン諸島、アイルランド観光のハイライトである。

船のなかでさっきの女性、エイコさんとおしゃべりする。歳は三十二歳ということだが、とてもそうは見えない。せいぜい二十五、六歳だ。仕事はスタイリストで、毎年、半年間働いて、半年間ひとり旅をするという。

「荷物、まさかそれだけですか?」

とぼくは聞いた。彼女の横には小さなデイパックがひとつあるだけだ。

「そう。着替えが一枚ずつあるだけ。あとは着たきりすずめ」

でも、こんなのは持ってるの、とバッグのなかからCDウォークマンと、大量のCDを取り出して見せた。

「音は必要なんよ」

彼女はにんまり笑って話す。

「きれいな景色を見ながら音楽を聴いていると、涙が出るんよ。ああ、生きててよかったなあ、って」

ぼくは彼女の顔を見つめた。その言葉は、何か胸に迫ってくるものがあった。

「来年はカナダに行きたいな、って思ってるんだけど、どこかお勧めの場所ある?」

と、彼女が聞いてきた。

「マウント・ロブソンのトレッキングコースがメチャいいですよ」

「山歩きだったら無理ねぇ」

「どうして？」

「片足が義足なんよ」

相変わらず、彼女は笑顔で言った。ぼくは次の言葉をうまく継げなかった。

「ふつうに歩くのは平気よ。でも昨日なんかホテルを探すのに一時間以上も歩きまわって、おかげでいいまもまだ義足と太股の付け根が痛いの」

彼女の荷物が、なぜ極端に少ないのか、そのときやっとわかった。

島に着いてから、ぼくはひとっ走りしてホテルを探した。適当な宿が見つかると、そこにエイコさんを案内し、自分はキャンプ場に向かった。

その途中に、島最大の見どころ、「ドゥーン・エンガス」の入り口があった。自転車をとめ、ガレ場の山道を十五分ほど歩くと、突然視界が開け、真っ青な海が広がった。

「すげえ……」

そこは、高さ一〇〇メートルはあるかと思えるような断崖絶壁だった。

夜は再びエイコさんと合流し、町のパブで一緒に飲んだ。

ビールがあったら幸せ、という彼女。本当にうれしそうな顔で飲む。それでなくても本場のギネスビールである。生クリームのような泡も、黒ビールとは思えないほどのシャープなキレも、ロンドンで飲んでいたギネスとは別ものだった。次々にグラスが空き、ぼくたちの笑い声が大きくなっていく。ところが、子ども時代の話になったとき、彼女は急に静かなトーンに変わった。

「十二歳のとき、骨肉腫になったんよね。で、切断。助かる見込みは、それでもほんの数パーセントだったんだって。たいしたもんよねぇ」

そんな小さいときからとは思いもよらなかった。ぼくは何も言えず、笑顔の少し消えた彼女の横顔を見ていた。

「いまはね、片足がなくてよかったと思うこともあるんよ。ある人がね、お前はそのおかげで人とは違う物の見方ができるんだ、って言ってくれてね。それもそうかって」

そんなことを、彼女はさらりと言った。その穏やかな表情からは、なんの気負いも感じられなかった。

別れぎわ、ぼくはそれまで言い出せなかったことを口にした。

「ドゥーン・エンガスに今日行ってみたんですけど、すごいガレ場なんですよ」

「そうなんだ、じゃあ、私は無理ね」

「それで……、もしよかったら、ぼく歩行介助できれば、って思ったんですけど」

そんな必要はない、と返されることをどこかで恐れていた。しかしエイコさんはやわらかい微笑みを浮かべ、「ありがとう。じゃあ、お願いするわ」と言った。ぼくはホッとした。

翌朝、ドゥーン・エンガスの入り口のところで待ち合わせし、一緒に登り始めた。彼女にぼくの肘《ひじ》を持ってもらって歩く。手と手をつなぐのは安定感がなくて怖いらしい。

一歩一歩ゆっくり進む。かなりのスローペースだ。一緒に歩いてみてあらためて、このスピードで旅をしているのかと驚いてしまう。

道の中腹あたりで、パラシュートが開いたような奇妙な赤い花が道端にたくさん咲いているのに気づいた。昨日ひとりで歩いていたときは、赤い花があるな、とは思っていたが、その不思議な形には気づかなかった。

エイコさんに話すと、彼女はもっと前からその花を興味深く眺めていたらしい。このスピードで生きている彼女だからこそ、ぼくらが見落としているたくさんのものが見えているのかもしれない。

一時間近くかかってようやく頂上に出ると、海が空のように広がった。

「うわー、メチャメチャうれしい！」

エイコさんが弾けるような声で言った。

足元のはるか下のほうで白い波が砕けていた。左手のほうには、白い遺跡の群れが島全体を覆っているのが見える。その大眺望のなかでエイコさんはＣＤウォークマンを聴き、ぼくはスケッチをした。

そのあと、崖の上を散歩した。フカフカした芝生の上で、突然彼女がうつ伏せに倒れた。慌てて抱きかかえようとすると、彼女はニコニコしながら言った。

「違うの。わざと。寝っ転がりたかったんよ。気持ちよさそうだったから」

そのとき、なぜか彼女がとても自由に見えた。


夜はビールを大量に買って、港のベンチで飲んだ。

彼女は明日の朝の船で戻るという。ぼくはもう少しこの島を見てまわりたかったので、あと三、四日はいるつもりだった。ひとしきり飲んで語ったあと、彼女をホテルに送り、そこでさよならをした。できれば彼女を見送りにいきたかったが、ぼくの泊まっているキャンプ場から港まではかなり遠いのだ。

しかし翌朝目が覚めると、何かすっきりしないものが胸に漂っていた。腕時計に目をやる。

――まだ間に合う。

ぼくはテントから飛び出ると、顔も洗わずに自転車にまたがり、ありったけの力で走った。港に着くと、ちょうど船が出るところだった。船に向かって彼女の名を何度も叫んだ。あきらめかけたころ、甲板に彼女が現れた。

エイコさんは風に激しく舞う髪を手で押さえながら、包み込むような微笑みを浮かべ、何か言った。けたたましいエンジン音にその声はすべてかき消された。ぼくも大声で叫んだ。聞こえているのかいないのか、エイコさんはゆっくり手を振った。船が小さくなって、彼女の姿が見えなくなるまで、ぼくはそこに立っていた。


そのあと、ひとりで別の断崖を見にいった。ウォークマンで映画のサントラを聴きながら、昨日覚えた速度で歩いた。景色がゆっくり移動し、ナイフで削ったような石が次から次へと流れていく。ときどき立ち止まって、その石の不思議な形を眺めた。ウォークマンからはオーケストラの重厚な音が流れている。

崖の上に立つと、視界いっぱいに海が広がった。

「きれいな景色のなかで音楽を聴いていると、生きててよかったなぁ、って思うんよ」

エイコさんのその言葉が、頭のなかでまわり続けていた。

# 第四章
# アフリカ

## 34 アフリカ突入――四年目・十二月

スペインから、アフリカ大陸の玄関口セウタまでは船でわずか一時間半である。自分から最も遠い場所、と感じていたからだろうか。これからその大陸に入るのだ、といくら考えてもぴんとこなかった。

しかし、船を降りて、遠くに町並みが見えたとたん、かすかに身が引き締まった。雰囲気がどこか薄暗くて、殺伐《さつばつ》としている。

フェリーターミナルもヨーロッパ側のものとはずいぶん違った。白い壁は薄汚れ、無数にヒビが入り、古い病院みたいだ。さらにトイレに入った瞬間、強烈なニオイが鼻をつき、思わず顔をしかめた。

――うわ、世界が変わった。

まどろみから、いきなり叩き起こされたような気分だった。

二十分ほど走るとモロッコとの国境が現れた。それを越えると、さらに雰囲気が変わった。

子どもたちは汚れた服を着て、ギラギラした目で無遠慮にこっちを見つめる。大人たちは昼間から何をするでもなくたむろし、茶を飲んでいる。地面は赤土がむき出しで、ビニールのゴミや野菜のくずが散乱している。家の壁は漆喰がボロボロに剝げ、ひどく質素だ。

アメリカからメキシコに入ったときのことを思い出した。いまはもう、あのときのようなショックや不安は覚えないが、それでもやはり世界が一変すると、感覚がついていけなくなる。魂を抜かれたようにぽかんとなってしまう。

夕方、タンジェという町に着き、安宿をとった。

宿にはシャワーがなかったので、町なかの公衆シャワーに向かう。意外なことに、肌寒い。古びた家が建ち並び、通りは迷路のようだった。そのなかを、アラブの民族衣装を着た人々が行きかっている。夕暮れの淡い光のなかで、やわらかい喧騒がたちこめていた。あちこちに屋台が出て、白い煙を上げている。クミンだろうか、独特の香辛料の匂いがする。異国だな、と感じた。テラスで茶を飲んでいるおじさんたちは穏やかな笑いを浮かべ、話に興《きょう》じている。夕暮れに向けて人が増え、街がどんどん活気づいていくようだ。

家々の屋根の向こうに四角い塔が見える。あれがイスラム教寺院のモスクだろう。そこから、耳をつんざくような大音量で、詩吟《しぎん》のような肉声が流れ始めた。アザーン（礼拝を呼びかける声）だ。

「アンラー　イラーハイッラー　ムハンマダンラスールッラー……」

独特の節まわしをつけたのびやかな声が、オレンジに染まった街に響き渡る。しばらく立ちつくし、その声に耳を傾けていた。――最も遠い場所にいる、と思った。その瞬間、自分が世界に包まれているような、奇妙な安らぎを覚えたのである。

公衆シャワー屋は、廃業した工場のようなたたずまいだった。料金は五ディラハム、約七十円だ。地下倉庫のような廊下を通り、薄暗いシャワー室に入った瞬間、ウッと顔をしかめた。フェリーターミナルのトイレと同じニオイが、熱を帯びて、蒸気のなかでもうもうとたちこめているのだ。

「こりゃひどい……」

シャワーの排水口とトイレの下水がつながっているのだろう。たしかに、世界は変わった。そしてぼくは、おもしろくなりそうだな、とニヤニヤしている。そんな自分に気づいて、少し意外な思いがした。そういえば、メキシコの宿でこのニオイがしたときは、アメリカに逃げ帰りたくなったんだっけ……。

タンジェからはアフリカ大陸の地図をなぞるように西海岸を南へ下る。やがて人家がまばらになり、砂漠地帯に入った。サハラだ。

この世界最大の砂漠にも、ところどころ人は住んでいて、舗装道路もかなり先のほうまでのびている。ある日、うまい具合に追い風が吹いた。ペダルをこがずに、平らな砂の海を眺めながら颯爽と滑っていく。あまりにも気持ちがいいので、イヤホンを耳につけ、ウォークマンのスイッチを入れた。バッハの『G線上のアリア』が流れ始める。

「うおお……」

みごとにハマった。砂漠はスローモーションのように流れ、アリアの優美なシンフォニーに、はかったように同調するのである。

砂漠を二週間ほど走るとダクラという小さな町に着いた。

この先のモーリタニアとの国境周辺には地雷が無数に埋まっている。そのため、モロッコ軍が率いる隊列に加わり、車に乗せてもらって移動しなければならない。ものものしい感じだが、なんのことはない、西アフリカを旅する者たちにとっては一般的な手段だ。

モーリタニアからはさらに南下し、サハラを越え、セネガルに入った。ここでアラブ世界に別れを告げ、ブラック・アフリカ、つまり黒人たちの住むアフリカに入る。

国境のセネガル川を越えると、景色が一変した。髪の毛のような細い草が一面に広がっている。サバンナというやつだろう。風にサワサワ揺れる草原が、目にやさしく染み入ってくる。この緑の安堵感といったらなかった。一ヵ月近くも砂漠に浸かっていたのだ。自然と顔がゆるんでしまう。

村が見えてきた。とんがり帽子のような藁葺《わらぶ》き屋根を被った土壁の家々が現れ、ゆっくり流れていく。質素だけど、かわいくて温かい感じのする家だ。庭では子どもたちが太鼓《たいこ》を叩いて踊っている。

「うわ……」

急に体がしびれたようになった。こんな、アフリカのイメージそのままのシーンが、いきなり最初の村から現れるなんて。

子どもたちがぼくに気づき、白い歯を見せながら手を振り、「サヴァー?」と口々に叫んだ。ぼくも陽気に「サヴァー」と答える。

ひとりの女の子が路上まで出てきて、ぼくに向かってニカーッと笑い、力士のしこ踏みのような奇妙なダンスを始める。あまりにもおかしくて吹き出してしまう。彼女はぼくの反応に気をよくしたらしく、ますますうれしそうに口を大きく開け、足を高く上げる。ぼくも彼女に向かってニカーッと歯を出して笑う。

彼女と別れ、さらに走ると、民謡のような歌声が聞こえてきた。見ると、畑沿いの道を、鋤《すき》を持った老人がひとり、歌いながら歩いている。なんてのびやかな声だろう。ぼくはスピードを落とし、それにしばし聴きほれる。

——この昂揚感は、いったいなんだろう。

メキシコにいるときも異様に興奮していたが、それとは違う。もっと力強くて熱いリズムが体の奥でズンズンズンズンズンと鳴り響いているのだ。

村を抜けると巨大な樹がたくさん現れ始めた。宇宙から降ってきて大地にドスンドスンと突き刺さったような樹——バオバブだ。もう、どこをどう切り取ってもアフリカじゃないか。

日が暮れると、ぼくはバオバブの下にテントを張った。メシを作って食べ、地面に寝転がると、満天の星空にバオバブの影が巨大な幽霊のように浮かんだ。

太鼓の乾いた音が、トントコトントコと風にのって聞こえてくる。この広大なサバンナのどこかに村があるらしい。なんて心地のいい音だろう。不思議と、懐かしい感じさえする。

ぼくはそのままウトウトと眠りにつく。そのうち、太鼓の音が大地の下から鳴っているように聞こえてくるのだった。

35

## 青い森——四年目・三月

ギニアに入ると、道がとんでもない状態になった。

赤土の道は、雨季にはぬかるみの海と化すのだろう。深くえぐられ、わだちがジェットコースターのレールのようにうねり、その深さが場所によっては自分の胸くらいまである。乾季のいまは、そのわだちに小麦粉のようなフカフカの砂が大量に積もっている。タイヤがずぶずぶ沈み込むので自転車はまったく歯が立たない。押して歩くだけでも大仕事である。

こんなところで体調を崩してしまった。

下痢が続き、体が熱っぽく、異様にだるい。マラリアだろうか。副作用を嫌って、予防薬は飲んでいない。

日に日に食欲も失っていった。無理にでも食べようと食堂に入るのだが、このあたりの一般的な食事であるリソース（野菜、肉、魚のごった煮をごはんにぶっかけたもの）を前にすると、吐き気がこみあげてくる。

体がどんどん衰弱し、めまいが頻繁に起こるようになった。それでもとにかく前に進むしかなかった。大きな町に着くまでは寝込むわけにもいかない。

ある日のことだ。

シャワーを浴びていない日が一週間ほど続いていた。髪はグリースをつけたようにベタつき、体からは動物のようなニオイが漂っている。毎日土ぼこりを浴び続け、腕や足は垢で真っ黒になり、Tシャツはあちこちが破れていた。我ながらひどい格好だ。

道だけは未舗装ながら、どうにか走れる状態だった。四十度を超す灼熱《しゃくねつ》のなか、あごから汗をしたたらせ、黙々とペダルをまわす。気持ちを紛らわせようとウォークマンで音楽をかけていたが、ほとんど何も耳に入ってこなかった。頭が朦朧《もうろう》としていて、もはや苦痛さえも感じなかった。

視界の隅に何かが入った。顔を上げると、荒れ野のはるか向こう、一面に、青いものが広がっている。

――海だろうか？

いや、しかし、このあたりは内陸部だ。

よく見ると、それは森だった。大地の上で、空気が青い層のようになって溜まっており、森はそのなかで真っ青に染まっているのだ。まるで湖の底に沈んだ森のような、不思議な見え方だった。

ぼくは茫然《ぼうぜん》となって、それを見つめた。ウォークマンからエンヤの荘厳な曲が聞こえてきた。青い森がゆっくりと流れ、音とシンクロした。地球全体が動いているようだった。

何かに導かれるように顔を上に向けた。焼けつくような太陽光が顔に降り注いだ。フラッシュがたかれたように、あらゆるものが真っ白に光り、自分が純化されていくような感じがした。まるで、一個の獣になっていくように……。

体の奥で何かが張り裂け、熱い空気がふくれあがってきた。全身がしびれて鳥肌が立ち、涙がボロボロこぼれ落ちた。

目を開けると、にじんでぼやけた視界のなかで、青い森がゆっくり流れていた。朝日を浴びた海に浸かっているかのように、ぼくのまわりには光の粒があふれていた。

36

## マラリア発症——四年目・四月

朝、いつもとは違うだるさがあった。

走り始めてから一時間もすると、明らかに体が熱を帯びていることがわかった。自転車をとめ、体温計を脇に入れる。三十七度七分。相変わらず、マラリア予防薬は飲んでいない。

「今度こそきたかもしれんわ」

ぼくは内心苦笑しながらシンジに言った。

「え？　ほんまか？」

おもしろいネタを見つけた、といわんばかりに顔を輝かせ、シンジが聞いてくる。

シンジ——この男も世界をまわっているチャリダーである。最初にスペインで会ってからというもの、ルートがほとんど同じだったのであちこちで再会していた。えらくガラの悪い男だが、妙にウマが合い、しばらく前から一緒に走っている。

シンジは「ま、ゆっくり走ろうや」と、このときばかりはやさしい目をして言った。

三十分ごとに休憩をとり、熱を測る。確実に三分〜五分ずつ上がっている。マラリアに間違いない。血管の中でマラリア原虫が細胞分裂のごとく増えていく様子が頭に浮かぶ。「うおお、きたきた〜」と、ぼくもやはりどこかで楽しんでいた。

だが、熱が三十九度に達すると、さすがに余裕もなくなり、頭がフラフラしてきた。地図を見ると、大きめの村まであと約二〇キロ。

「行けるか？」

「行くしかないわな」

こっちの足が速いか、それともマラリア原虫たちの増殖スピードが速いか勝負だ。ぼくは熱に冒されてナチュラルハイになり、疾風《しっぷう》のごとく駆けた。

村に着いたときは、歩くのもやっとの状態だった。熱は四十度近くまで上がっている。

村に唯一あった病院はプレハブ小屋のような建物だったが、なかに入ると診察台や薬のケースなどがきちんとあって、それなりに病院らしい雰囲気だった。とくに目を引いたのが冷蔵庫だ。ぼくはホッとし、「この病院はデキる」と直感した。村に一台あるかないかぐらいの冷蔵庫だろう。この病院は薬品の保管に、そこまで気を遣っているのだ。

ところが出てきた医者は、胡散臭《うさんくさ》さのぷんぷん香る、タヌキみたいなオヤジだった。

彼はぼくの症状を聞いたあと、強いアフリカなまりのフランス語で「そりゃマラリアやな」と言った。それはわかっている、と思ったが、とりあえず言葉を呑み、血液検査をしてもらうことにした。マラリアかどうかはっきりしない限り、副作用のきつい治療薬を飲む気にはとてもなれない。

中指の先に針を刺し、プレパラートに血を数滴垂らす。そこに何かの薬品を混ぜ、しばらく放置したあと、顕微鏡でのぞく。「簡単な検査だ」と言っていたわりには、ずいぶん長いあいだ顕微鏡を見ている。しかもときどき首をかしげている。

やがてタヌキオヤジはぼくのほうに向きなおり、言った。

「マラリアや」

「どのマラリアですか？」

マラリアには四タイプあるのだ。

「わからん」

オヤジはそう答えたあと、「ふう、暑いな」と言って冷蔵庫を開けた。薬品類が入っているはずのそのスペースには、コーラがぎっしり並んでいた。ぼくはイスから転げ落ちそうになった。

なんとか体勢を整え、「C'est vrai? Malaria?《本当にマラリアなの》」と聞くと、医者はこう答えた。

「Je crois《そう信じている》」

ちょっと待て、おい！

その病院には入院施設がなかったので、ぼくたちは村外れのマンゴ林に行き、マンゴの木の下にテントを張って、病気がよくなるのを待った。シンジは三度のメシを作ってくれ、アホなジョークを言って、熱にうなされているぼくの顔をさらに引きつらせてくれた。

五日間安静にして、なんとか病気は治まった。しかしマラリア治療薬の副作用はやはり強烈で、熱が引いたあとも吐き気と夢うつつの日々がしばらく続いた。そう、これは薬の副作用なのだ。まさか違う病気だったなんてことはあるまい……。

この五日間、シンジは少しの恩着せがましさもなく看病してくれた。その姿にぼくは打たれ、いつか恩返しをしなければ、と思った。すると、その機会は三週間後に早くも訪れるのである。

シンジもマラリアにかかったのだ。

ぼくは三度のメシを作り、アホなジョークを言って、熱にうなされているシンジの顔をますますゆがめさせたのだった。

37

## ピュアの差――四年目・四月

ブルキナファソに入ってからもマラリアの後遺症は続いていた。頭がふらふらし、足に力が入らない。おまけに直射日光下は枯れ草に火がつきそうなほどの暑さだ。毎日、ふらつく体を支えるようにしながら、だましだましペダルをこいでいた。

そんなある日、つまらないミスをしてしまった。砂ぼこりの多いところでは、ぼくはコンタクトレンズではなくメガネをかけているのだが、そのメガネを一時間ほど前に休憩した木の下に置き忘れたのだ。

「ええい、アホか！」

シンジに先に行ってもらい、Uターンして来た道を戻った。まったく何をしとるんじゃ、俺は……。

灼熱のなか、やっとの思いでその場所に戻ると大きな落胆が待っていた。

メガネがない。それどころか、さっきここに捨てた、折れたスポーク（車輪を組んでいる針金状のもの）や割れたペットボトルまで持ち去られている。ぼくはその場にへたり込んだ。

少し離れたところに四軒の家が見える。土壁と藁葺き屋根の小さな家ばかりだ。その一軒から、ふたりの子どもが顔を出した。四、五歳ぐらいの女の子と、三歳ぐらいの男の子だ。彼らはぼくと目が合うと、家のなかにサッと隠れた。

――彼らが持っていったのだろうか。

朦朧とした頭で、そう思った。だが、彼らに詰め寄ったところで返してくれるだろうか。折れたスポークや割れたペットボトルまで持っていくぐらい、ここにはモノがないのだ。今日収穫したメガネは、彼らの宝物になっているに違いない。

ぼくは木の下に座り込んだまま、たったいま家のなかに隠れたふたりの子どもたちのことをぼんやり考えていた。姉弟のようだが、彼らは日々、何をして遊んでいるのだろう？　四軒の家しかないこの小さな集落には、ほかに遊び相手がいるのだろうか。

間もなく、ふたりが家からヒョコッと顔を出した。そして、おそるおそるといった感じでこっちに歩いてきた。もしや、と思い、ぼくも立ち上がり、彼らのほうに歩いていった。

女の子の手にはメガネがあった。彼らはそれをぼくに渡すと、きびすを返して家のほうに逃げていった。

ショックだった。彼らが〝盗った〟と考えたことが、である。そして、〝返してくれるわけがない〟と、勝手に決めつけていたことが、だ。それらは〝貧しい者は卑しい〟という狭い価値観からきていたに違いないのだ。

しかしその一方で、心の隅々まで洗われるような気分を味わっていた。

——なんてピュアなんだろう。

アフリカを旅していると、人の本質についてよく考えさせられる。子どもたちを見ていると、とくにそうだ。「カドー《プレゼント》、カドー！」と叫びながら追いかけてくる子どもたちにも、やはりピュアなものを感じる。〝本質〟に近ければ近いほど、ピュアであればあるほど、欲望がむき出しになる。そう思わせるたくましさが、彼らにはある。

しかし、メガネを返しにきた彼らのピュアさもまた、人間の本質に迫っているように思えてならないのだ。その差は、いったいどこからくるのだろうか。

彼らはここで、数戸の家族たちだけで生活している。他人と競い合うというより、助け合って暮らしているのだろう。

もし、あの子たちが、人の大勢いる町に住んでいて、なおかつ割れたペットボトルを持ち帰るぐらいモノのない状況だったとしたら、彼らは自分たちからメガネを返しにきただろうか……。

子どもたちが家の入り口から顔を出してこっちを見ている。ぼくが手を振ると、ふたりはサッと家のなかに隠れた。ぼくはクスッと笑いながらゆっくり立ち上がり、自転車にまたがってペダルを踏みだした。風が流れ、汗がスッと冷えていく。ここに来る前と比べて、ずいぶんと体が軽くなっていた。

## 38 マサイとの勝負――五年目・七月

ガーナからジンバブエに飛ぶことにした。アフリカ中央部には政情不安な国がいくつかあり、旅ができるような状況ではなかったからだ。

あるいは、以前のぼくならそれでも構わず突っ込んでいったかもしれない。しかしあのとき、ロンドンのフラットの一室でベッドに顔をうずめながら「どんなことがあっても絶対に帰る」と誓ってから、ぼくの旅は変わった。

ジンバブエに降りたつとすぐに電車とバスを乗り継ぎ、四〇〇〇キロ北のウガンダを目指した。最初からウガンダに飛べばよかったのだが、ジンバブエ行きのチケットが破格に安かったのでこんな面倒なことをしているのだ。

シンジとはタンザニアの首都、ダルエスサラームの駅で別れることになった。その前の晩は夜通し酒を飲み、翌朝はふたりとも二日酔いでやつれた笑いを浮かべ、手を振り合った。

ハラレからのべ四日かけてウガンダの首都、カンパラにたどり着いた。久しぶりに自転車をこぎだすと、肌の上を流れる風がえらく気持ちいい。バスの旅より、やはりこっちのほうが自分には向いているらしい。

三日後、赤道に着いた。これを自転車でまたぎたくてウガンダまで来たのだが、予想どおり、そこにはとくにおもしろいものはなかった。赤い線でも引かれているなら話は別だが、のどかな田園風景のなかに、地球をかたどったコンクリート製の小さなモニュメントがぽつんと立っているだけだ。

そこを過ぎて数日走ると、高層ビルの建ち並ぶ大都市が見えてきた。ケニアの首都、ナイロビである。居心地のいい宿があったのでしばらく休むことにした。

ある日、サファリツアーに参加することにした。ツアーは〝見る〟というより、〝見せられている〟感じがするので、できれば避けたいのだが、ライオンや豹を自転車で見にいくわけにもいかない。

ツアーの二日目、ライトバンに乗って動物を見てまわったあと、オプションでマサイ族の村を訪れた。サバンナの海をぷかぷか漂っているような小さな村だ。

「入場料、五百シリング（約七百五十円）だ」

案内役のマサイのオッサンが無表情で言った。文明の波に流されることなく、いまもサバンナに暮らすマサイ族には非常に興味があったが、ここは観光用の村だ。彼らには申し訳ないが、ビール十本分の料金を払ってまで見たいとは思えない。

ほかのツアー客がぞろぞろ村に入っていくと、外にいるのはぼくひとりだけになった。草原を眺めながらボケーッとする。小さなマサイの女の子がこっちを見ているのに気づいた。ぼくが微笑むと彼女も笑い、こっちにやってきてアクセサリーを見せた。みやげ物を売りにきたようだ。しかし、こっちに買う意思がないことがわかるとすぐに商魂を捨てた。ぼくは彼女に手品をした。空中からひらり、とコインを取り出すと、女の子は目を大きく見開いた。

そこへひとりのマサイ青年がやってきて、

「村に入らないのか？」

と、英語で尋ねてきた。高いからいいよ、とぼくは答えた。

マサイ青年は少し考えたあと、言った。

「俺はこの村のチーフだ。二百シリングにまけてやる。どうだ？」

いきなり三百の値下げだ。ぼくは相手の目を見た。その目がかすかに泳いだ。

――ははあ、自分のポケットマネーにする気だな。第一こんな若いチーフがいるわけがない。でもいいチャンスだ。

「五十だったら入るよ」

マサイ青年はちょっとためらったものの、結局首を縦に振った。彼は金を受け取ると、すぐに立ち去ろうとしたので、ぼくはその肩に腕をまわして言った。

「チーフ、一緒に入って歩こうや」

もともと気弱そうな彼の目が、さらにおどおどし始めた。

村はアフリカの田舎でふつうに見られるものと大差なかった。土や牛の糞でできた家が十数軒並んでいるだけだ。先に入った白人ツーリストたちがたくさんのマサイに囲まれて、アクセサリーを買っている。

ひとりのオッサンマサイがぼくたちのところにやってきた。

「お前、金払ったか？」

こいつに払ったよ、と、ぼくは肩を組んでいる「自称チーフ」を指した。オッサンは何か言っていたが、ぼくたちは無視して歩き続けた。

見学を終え、自称チーフに礼を言って別れようとしたとき、ぼくはあることを思いついた。

「ぜんぶ内緒にしてあげるから、ひとつ頼みを聞いてほしいんだ」

自称チーフはまたもおどおどした目つきになった。彼も嫌なヤツを相手にしたものだ。

「競走しようぜ」

ぼくは中学高校と陸上部で幅跳びと短距離をやっていたので足には自信がある。野生に暮らす、強靭なバネを持った彼らがどれくらい速いのか勝負してみたくなったのだ。チーフは要領を得ない表情のまま、コクリと頷いた。

ぼくたちは村の外に出た。

「いいか、俺がこの石をいまから上に投げる。それが地面に落ちたらスタートだ。ゴールは、ほら、あそこに白いビニール袋が落ちてるだろ。あれを先に取ったほうが勝ち。ＯＫ？」

彼は頷いた。

「いくでぇ、せーの……」

石を上空に投げる。と、次の瞬間、マサイ青年は猛烈な勢いで飛び出した。

「あっ、コラ！　フライングじゃ！」

さすが偽チーフ、やることがせこい！　ぼくも慌てて走りだす。前方で赤いマントをひらめかせながら、青年のスリムな体がサバンナを矢のように駆けていく。速い。思ったよりやる。しかしぼくも元スプリンターなのだ。素人には負けられない。そのうちじわじわと彼の赤マントが近づいてきた。もうすぐだ、もうすぐ追いつける、あと一〇メートル……というところで、一歩先を行く彼がゴールのビニール袋を取りあげた。相手はそのまま流して走りながらこっちを振りむき、ニヤリと得意そうな笑いを浮かべた。

ぼくは、ハアハア、と荒い息をつきながら考えた。もう少し距離が長ければ、ハアハア、後半は明らかにこっちが追い上げていたのだ、ハアハア、ヤツがフライングさえしていなければ、ハアハアハアハアハア……。

そこへマサイ青年が軽快に戻ってきて、

「はい、勝ったから二十シリングね」

と、少しも呼吸を乱さずに言った。

39

## ハタリ——五年目・九月

アフリカ最高峰、キリマンジャロの巨大な山容を眺めながら、タンザニアに入る。

タンザニアといえばキリマンジャロコーヒーが有名だが、じつは紅茶の栽培も盛んで、品質もいい。ふくよかで、ホクホクした味わいがある。村が現れるたびに、ぼくは茶屋に立ち寄り、紅茶に舌鼓《したつづみ》を打っていた。

そんなある日、茶屋のオヤジが神妙な顔でぼくに声をかけてきた。

「お前、この先も自転車で行くのか？」

そのつもりだけど、とぼくは紅茶をすすりながら答える。

「やめといたほうがいい」

「なんで？」

「この先はミクミ国立公園だ。ライオンがいっぱいいるぞ」

「…………」

アフリカといっても、自転車で幹線道沿いに旅をしている限り、動物はそう見かけるものじゃない。動物たちがいるエリアはだいたい決まっていて、それらはたいてい、大きな道や町からは離れているからだ。そして、そういう場所は国立公園に指定され、自然の状態を保つためにいろんな努力が払われている。

そのひとつ、「ミクミ国立公園」が例外的にぼくの進路上にあるのは知っていた。猛獣の心配がないわけではなかったが、自転車走行を禁止している、といった話は聞かないので危険はないだろうと思っていた。

しかし茶屋のオヤジは真顔で、「やめたほうがいい」と言う。さすがに怖くなったが、ぼくはこの国立公園のなかを走るのが前から楽しみだったのだ。なんといっても自転車でサファリ、つまり動物ウォッチングが楽しめるのである。

ライオンの活動は夕方から早朝で、昼間はゴロゴロしているはずだ。この時間ならまず問題ないだろう。

ところがミクミ国立公園の入り口に着いたとたん、ぼくは思いっきりひるんでしまった。「Danger《危険》 Wild Animal《野生動物》」と赤い太文字で書かれた巨大な看板がサバンナにでんと立っているのだ。本格的にヤバそうではないか。

しばらく考えたあげく、バッグから笛を取り出し、ときどきそれを吹きながら走った。山歩きのとき、熊よけに鈴をザックに付けるのと同じ要領だ。

ライオンのみなさん、ここに人間がいますよー、危ないですからねー、さっさとどこかへ行ってくださーい、ピーッ、ピーッ……。

――うん？　これって、ひょっとしてライオンをおびき寄せていないか？

しかし、自転車をこいでいくうちに、そんなことはもうどうでもよくなっていくのである。道の両側にいるわいるわ、シマウマ、インパラ、キリン、ゾウ、イボイノシシ、ヌー……。それらが自転車のゆるやかなスピードに合わせ、悠々と流れていく。

サファリツアーで車から動物を見たときは、どこか映画を観ているような感覚があったが、いま、目の前にいる動物たちはやけに生々しい。ぼくと同じ目線の高さにシマウマの群れがいて、草をしゃりしゃり食べているのである。

前方の木立から大きなキリンが二頭現れ、道路に出てきた。路上で立ち止まり、こっちをジーッと見ている。道路にキリン、というのは、なんだかひどくシュールな図だ。特撮モノの怪獣を見ているようである。

ぼくはそのキリンたちに向かって自転車をこぎ続ける。あるところまで近づくと、彼らは突然ドドドッと駆けだして道路から外れ、サバンナを走っていった。なんという美しさだろう。首がゆっさゆっさと前後に動いて青空を切っていく。たてがみが草原のように風に揺れ、長い尾はそれ自体が別の生きもののようにダンスする。大きな体が、まるでスローモーションのように流れていくのだった。

自転車をとめ、そのシーンに心を奪われた。あんな巨大な生き物が、この草原のどこかで生を受け、育ち、死んでいく、そのサイクルを連綿と繰り返しているのだ。体がぞくぞくしてきた。アフリカはなんと大きいのだろう、と思った。動物が世界全体を覆っていて、そのなかのほんの一部が人間なのだ……。


そんな夢心地も、しかし長くは続かなかった。うしろから一台のトラックがやってきて、ぼくを追い抜いたあと、五〇〇メートルほど先でとまったのだ。急に緊張感が走った。ペルーの事件を思い出したのである。トラックがあんなところでとまる理由はない。

そう、結局一番怖いのはライオンなんかより人間なのだ。ぼくはブレーキをかけ、トラックの様子をうかがった。間もなく別の乗用車が遠くのほうからやってくるのが見えた。

よし、チャンスだ。万が一、ぼくが襲われても、うしろの車の人たちが助けてくれるに違いない。

ぼくは意を決して走り始めた。前方のトラックがゆっくり近づいてくる。

「何も起こるなよ……」

トラックまであと一〇メートルといったところで、突然、運転席のドアが開いた。体が電気ショックを受けたようにビクンとなったが、そこから顔を出したのは人のいい笑いを浮かべたオッサンだ。彼はぼくに向かって、「こっちに来いよ」と手を振っている。

悪い人じゃなさそうだ。ぼくはホッとしながら、彼の笑顔に引き寄せられるように近づいていき、自転車をとめた。オッサンはサバンナのほうを指して、「シンバ、シンバ」と陽気に言った。シンバとはスワヒリ語でライオンのことだ。

びっくりしてオッサンが指したほうを見ると、道から五〇メートルほど離れた木の下に、ライオンのカップルが寝そべっている。

――うわ、カッコいい。

動物園で見るより体がずっとしなやかで、毛がツヤツヤ光っている。ぼくは我を忘れ、うっとり見とれてしまった。オッサンも窓から顔を出してしみじみ「ムズーリ《いいねえ》」などと言っている。彼ら現地の人もライオンを見かける機会はほとんどないのだ。このオッサンもトラックをとめるぐらいだから相当うれしかったのだろう。

――うん？

急に、違和感を覚えた。このオッサンはトラックのなかにいるのだ。でもぼくはチャリにまたがって立っているだけ。そしてすぐそこにライオン……。こ、これは……？

オッサンにおそるおそる聞いてみた。

「ハタリ？」危険かな《》

オッサンは相変わらず人のいい笑顔で答えた。

「ハタリ、ハタリ」危険《だよ》

ぼくは猛スピードで駆けた。強盗なんかよりライオンのほうが怖いわい。

40

## バオバブ村の少年バオバオ――五年目・九月

日暮れ前、村が現れた。巨大なバオバブの群生に囲まれた小さな村だった。宿がないのは一目瞭然《いちもくりょうぜん》だ。野宿するか、とため息まじりにそこを出る。

道を逸れて草原に入ったところで、慌ててブレーキをかけた。すかさずタイヤをチェックすると、

「ああ、やっちまった……」

トゲがいっぱい刺さっているのだった。

このあたりには、硬くて鋭いトゲが四方に飛び出た、直径五ミリくらいのマキビシのようなものがよく地面に落ちている。植物の種かなんかだと思うのだが、とにかく憎らしい。こ

いつのおかげで、アフリカに入ってからというもの、パンクの回数が激増している。

このときも、みごと三ヵ所貫通していた。しかたなくさっきの村に戻った。

修理していると、ひとりの少年がひょうたんの水桶に水を入れて持ってきてくれた。パンク修理用に、ということらしい。気がきく子だ。利発そうな顔をしている。

「ジナヤコニニ？《名前は》」と聞いてみる。

「バオバオ」と少年ははにかみながら答えた。いい名前だな。バオバブからとったのかな、やっぱり。

日が暮れたので、村人の了解を得て、一軒の家の裏手にキャンプさせてもらうことにした。バオバオはその家の子どもだった。彼はぼくにずっとくっついている。テントを張り始めると、サッと動き、あれこれ手伝ってくれる。

「アサンテ《ありがとう》」と言うと、バオバオは照れくさそうに笑う。

彼は英語をひと言も話せなかった。ぼくのスワヒリ語も相当インチキだ。だからふたりのあいだには、会話はほとんどなく、ただ、目が合えば微笑み合うだけである。

寝る前に顔を洗いたくなったので、バオバオに近くの川への行き方を聞いた。彼は「ついておいで」といわんばかりに、先に立って歩き始めた。川はガレ場を下っていった崖の底のほうにあった。

帰り道、突然、懐中電灯の電球が切れた。とたんに身動きがとれなくなる。谷底は完全な闇に包まれ、自分の手さえも見えないほどなのだ。ところが、ペタンペタンと岩の上を渡っていくバオバオの足音が暗闇の向こうから聞こえてきたのである。驚異だった。彼には見えているのだ。

「バオバオ、ゴジャ《待ってくれ》！」と叫んだが、彼の足音は依然として鳴り続けている。

「おーい、バオバオー！」

「ハパ《ここだよ》」

目の前でその声が聞こえた。ぼくが手を伸ばすと、彼はその手を握った。戻ってきてくれていたのだ。完全な暗闇では聴覚まで麻痺《まひ》して、遠近感がなくなるらしい。

ぼくはバオバオに手を引かれて、おじいさんのようにヨタヨタと崖を這い上がり、村に戻った。松明《たいまつ》の明かりに照らされたバオバオの笑顔は、どこか得意そうだった。

翌朝、バオバオの姿が見当たらなかった。テントを畳み、出発準備を終えてからもしばらく待ってみたが、彼は現れない。うしろ髪を引かれる思いで村をあとにした。

走りだして間もなく、道路の上に人の姿が見えた……バオバオだ。自転車にまたがって、ニコニコ微笑んでいる。その顔を見たとたん、彼を抱きしめたいような気持ちになった。バオバオはぼくと一緒にサイクリングがしたくて、朝からここでずっと待っていたのだ。

ぼくたちは並んで走り始めた。ボロボロの、いまにも分解してしまいそうな自転車だ。村の大人から借りてきたのだろう、バオバオには少し大きすぎるようだ。彼はサドルから腰を下ろし、まるでおどけているように、体を上下に大きく動かして自転車をこぎ、ギシギシとすごい金属音を鳴らしながらついてくる。

——ふふふ、どこまで一緒に行こうか？

ぼくたちのあいだにはやはり会話はなく、目が合えば、ただ微笑み合うだけだった。

41

## モザンビークの母——五年目・十月

モザンビークを走っていると、どくろの絵が描かれた「地雷注意」の看板をよく見かける。おっかなくて、キャンプどころか、道路を外れて立小便をするのも少し緊張する。九年間続いた内戦の傷跡だ。

小さな村が現れた。自転車をとめ、売店でコーラを購入する。外に座って飲んでいると、子どもたちが四方からぞろぞろとやってきて、文字どおり黒山の人だかりとなった。

アフリカではどの国でも同じようなことが起こるが、ここモザンビークが一番すごい。旅行者自体が珍しいのだろう。子どもたちは、ただぼくを不思議そうにジーッと見ている。ざっと数えてみると、なんと八十人！

さすがにこれじゃ落ち着いてコーラも飲めない。ぼくは木の枝を拾い上げる。すると子どもたちは、ワッとクモの子を散らすように逃げる。枝でぶたれると思うようだ。おかしくて、吹き出しそうになる。

彼らが逃げたその隙に、ぼくは木の枝で自分を中心に半径三メートルくらいの円を地面に描く。この線のなかは俺の領地だからな、入ったらただじゃおかんぞ。

間もなく、子どもたちは懲《こ》りもせずに集まってくるのだが、おもしろいことに、その線の手前できっちり立ち止まるのである。これもアフリカならではの現象だ。

モザンビークの子どもたちはどうやら少しシャイらしい。陽気に話しかけてきたり、ふざけたりする子がいない。みんな無言で、線の向こうからぼくをジーッと見つめているだけだ。

彼らの多くは上半身裸で、裸足だった。手足は木の枝のように細く、お腹《なか》がぷっくり出ている。明らかに栄養失調状態である。

ひとりあたりの年間所得百五十ドルという数字が語っているとおり、ここはアフリカのなかでも最貧国のひとつだ。その貧しさは、子どもたちの体型をはじめ、ボロ布をまとったような家々や、市場のモノの少なさなどから、ひしひしと伝わってくる。見ていてちょっと痛々しい。内戦や旱魃《かんばつ》が国の経済を破綻させたのだ。

だが、いまは復興に向かっており、人々の表情もとても穏やかで温かい。これまで旅行者があまり入ってこなかったから〝観光客ズレ〟もしていないのだろう。ただ、そのこととは別に、内戦という苦渋の時期を経たことが、彼らの心のありように大きく影響しているんじゃないだろうか。そう思わずにはいられない体験が、幾度となくあった。

テテという町の市場でのことだ。

野菜を地面に積み上げて売っているオバサンがいた。着の身着のままのような格好をしており、腕がやはりひどく細かった。彼女の前に野菜がなかったら、物乞いに見えたかもしれない。

ぼくはトマトを四つ手にとって、「ハウマッチ？」と値段を聞いた。彼女は申し訳なさそうにはにかんだ。英語が通じないようだ。ぼくは紙とペンをオバサンに渡し、自分の持っている四つのトマトを指して、ニッと笑いかけた。オバサンはようやく合点のいった顔になり、紙に「２０００」と書いた。二千メティカル、約十八円だ。

ぼくは財布から五百メティカル札を四枚取り出して手渡した。すると、オバサンはその一枚を返してきた。まけてあげるよ、という顔で。ぼくはびっくりして、慌ててそのお札を彼女の手に戻そうとした。彼女の暮らしぶりを想像すると、とても受けとれない。

彼女はそれを手で制して首を横に振り、さらに、ぼくが抱えているトマトの上に、トマト一個とレモン二個を追加してのせた。あっけにとられていると、彼女はちょっと待ってて、というように手で合図し、市場の奥に走っていった。しばらくして戻ってきた彼女の手には使い古しのビニール袋が握られている。彼女はその口を開けてぼくのほうに向け、「これに入れなさい」というように手振りし、やさしく微笑んだ。

それは、ただの親切ではなかった。特別だった。ぼくの薄汚れた格好と、荷物をつけた自転車を見たからに違いないのだ。

ぼくは抱えていたトマトを袋に入れると、オバサンの細い手をとり、握りしめた。涙が次々にこぼれ出てきた。オバサンの目は、紛れもなく〝母〟の目だったのである。

## 42

## チャリ軍団結成——五年目・十月

二ヵ月前、ナイロビでタケシという男に出会った。ギターを肩からさげ、電車やバスを使ってアフリカを自由気ままに旅している自称ミュージシャンで、歳は二十四歳。

外見からして強烈にインパクトのある男だ。年季の入ったドレッドヘアとヤンキーのような鋭い目。見た瞬間に、「こいつとは衝突する」と予感させるものがあった。ところが三日もすると、いつも一緒に行動する仲になっていたのである。

つきあってみるとおもしろい男だった。

町を歩いていると子どもたちがやってきて物乞いを始める。多くの旅人は「ノー」と言うが、ぼくはその言葉に抵抗があったので、「ソーリー《ごめんな》」と答えるようにしていた。タケシは違った。

「お前、かわいい顔してんな」と日本語で話しかける。「なんだ、腹減ってんのか？　だめだよ、俺も金ねえんだ」

そんなタケシに向かって、子どもも親しげな表情を浮かべ、現地の言葉で話す。タケシが日本語で返す。それできちんとコミュニケーションがとれているように見えるから不思議なものだ。おかしな会話は続く。

「しかたがねえな、わかったよ。じゃあドーナツ、俺と半分こすっか」

そう言ってタケシは屋台のドーナツを買い、半分にちぎって一方を子どもにやり、一方を自分の口に放り込む。そんなことが少しのてらいもなく、自然にできる男だった。

あるとき、タケシはぼくにこう言った。

「すべてに敬意を払おうと思ってるんです」

その言葉は、それからもことあるごとに、ぼくの頭に浮かんできた。


ナイロビでは結局一ヵ月近く彼とともに過ごした。別れぎわ、タケシは何を思ったのか、こんなことを言いだした。

「二ヵ月後、ハラレで合流しましょう。俺、そこでチャリ買います」

一緒にアフリカ南端の喜望峰《きぼうほう》を目指そう、というのだ。

そりゃいい、やろうぜ、と返事したものの、ぼくはそれを話半分くらいに聞いていた。

それから約一ヵ月後、タケシが睡眠薬強盗に遭ったという話を旅人づてに聞いた。同じ宿で仲よくなった現地の人間にもらったクッキーに睡眠薬が入っていて、食べた数分後には意識を失い、翌朝気がついたらズボンやバッグに分散して隠し持っていた現金約二十五万円と、カメラなどの貴重品がなくなっていたらしい。

聞いたときはひどく驚いたが、そのあと、ある意味彼らしい災難だな、と思った。おそらくその犯人とも友だちのようになっていたのだろう。

どんな人にも彼なりの〝敬意〟を持って接する。すばらしいことだが、ときにはそれが裏目に出る。アフリカは、きれいごとばかりでは通用しない。

自分の信念が仇《あだ》となったショックに加え、失った金額も半端じゃない。彼の気落ちした様子が頭に浮かんだ。もう自転車旅行どころじゃないだろう。ひょっとすると、すでに日本に帰ったかもしれない。

ところが、ぼくがジンバブエの首都ハラレに着いた翌日、約束どおり、同じ宿にタケシがやってきたのである。そして人懐っこい笑みを浮かべ、陽気な口調で言った。

「ユーさん、喜望峰、行きましょう！」

「お前、大丈夫なんか⁉　強盗のこと聞いたで」

「あはは、バレてた？　さすがに今回は参ったわ。最初の三日ぐらいは落ち込んだって、やっぱり」

しかし、それからは開き直ったという。カードは盗られなかったので、なんとか旅は続けられるらしい。

「金は天下のまわりものだって！」

そう言って笑い飛ばす彼の顔を、ぼくはなかばあっけにとられて見ていた。

次の日からぼくたちはハラレの町を駆けずりまわった。

まずはなんといっても自転車である。喜望峰までの距離や道路状況を考えると、自転車は慎重に選ばなければならない――はずなのだが、タケシは中国製のいわゆる「人民チャリ」を買った。もちろん、変速ギヤなどはついていない。値段は約七千円。

旅の資金の大部分を失ったタケシにはその安さも魅力だったが、何より〝おもしろさ〟で人民チャリを選んだ。彼はまじめにチャリダーになるつもりなど毛頭なく、ノリで自転車旅行をするのだ。

その人民チャリをツーリングモデル（？）に改造する。うしろの荷台に細長い木の板を二本渡してロープで縛り、バックパックとギターをのせられるようにする。また、水を最大二十五リットル積めるよう、ポリタンクをフレームのあちこちにくくりつける。

自転車の名前は「ハト号」。平和の使者、ということらしい。うしろの泥よけに「ハト号」のロゴと、飛んでいるハトにタケシがまたがっているイラストをぼくが描いた。

準備は着々と進み、出発が迫ってきていた。そんなある日、ひとりの男が宿に現れ、ぼくとタケシは大声を上げた。

「あああーっ！　生きてたのか⁉」

アサノではないか。ぼくたちとナイロビで一緒だった男だ。

彼もまた目つきが悪く、タケシと同様、最初会ったときは「衝突する」と直感したのだが、やはり数日後には一緒に遊ぶ仲になっていた。

ニヒルな雰囲気を漂わせているが、熱いハートを持った男だ。彼はぼくたちと別れたあと、マラウイに行き、ひとり用の丸太ボートで全長五〇〇キロのマラウイ湖を岸伝いに渡っていくという旅に挑戦し、みごと消息不明になっていた。あとから聞くと、単に旅行者に会わなかっただけらしいが、しかし旅人たちのあいだでは「あいつ、カバにでもやられたんだろう、残念無念」という話になっていただけに、このときの再会は感慨もひとしおだった。

タケシは興奮した様子でアサノにチャリ旅の計画を話し、「アサノさんも一緒に行きましょう！」と言った。するとアサノも「いいねえ」とニヤリと笑い、数日後には自転車を買ったのである。

みんな、ノリが軽すぎるで……（アサノはちゃんとしたマウンテンバイクを買ったけれど……）。

ハラレに来て三週間。ようやく出発準備が整い、同じ宿で仲よくなった旅人たちに盛大に見送られながら、ぼくたち三人は意気揚々と出発した。

モダンなビルの群れを眺めつつ、清潔感あふれる道を快調に飛ばす。ファーストフードのチェーン店や巨大なシネマコンプレックスが流れていく。アメリカの地方都市のような街だ。スーツを着た白人のビジネスマンもやたらと目につく。

ところが、郊外を抜けると、それまでの都市は幻想だったのかと思えるほど世界が一変した。道路の両わきは土がむき出しになり、ビニールや野菜のくずが散乱している。かや葺き屋根の民家も見える。都市とその周辺の村でこれだけ様相の変わるところも珍しい。

そのあたりから、しだいにタケシが遅れだした。やはり自転車の差が出るようだ。距離が開きすぎないよう、スピードを調節しながら走る。ところがアサノとのおしゃべりに気をとられているうちに、いつの間にかドレッドヘアが視界からいなくなっていた。

木陰に入ってしばらく待ってみたが、いっこうに現れない。不安になって引き返すと、タケシが道のわきで何か作業をしている。彼はぼくの姿を見るなり叫んだ。

「ユーさーん！　キャリアが折れた！」

荷台にくくりつけた木の板のことだ。出発して一時間で早くもトラブルである。

修理して再び走り始める。タケシもアサノもだんだん口数が少なくなってきた。

それから約三時間後、タケシが、うしろからやってきたバスに荷物をかすめられ、よろめいてひっくり返った。幸いケガはなかったが、彼の表情がますます暗く陰りだした。

五〇キロちょっと走ったところで、小さな町が見えてきた。一軒の小ぎれいなホテルに許可をもらい、庭に三つのテントを張らせてもらった。その作業が終わるころには、タケシもアサノも疲弊《ひへい》しきった表情で地面に座り込み、無言になっていた。

ここから目指すはアフリカの南端、喜望峰である。その距離、約四〇〇〇キロ。

ぼくは彼らを止めるべきだったのだろうか……。

43
## 俺たちの旅――五年目・十一月

「明日、みんなより一時間前に出発するわ」

晩メシを食べながらタケシが言った。

タケシのハト号には変速ギヤがないので、平地でもスピードが上がらないうえに、上り坂になるとすべて〝押し〟が入る。そのため一時間走ってタケシを十～二十分待つというペースになっていた。彼にすれば、自分がみんなの足を引っ張っていることが許せなかったのだろう。

翌朝、タケシは本当に一時間早く起きて、先に出発した。見た目はヤンキーだが、こういうところは妙に律儀《りちぎ》である。

ところが、ぼくとアサノが走りだしてからわずか一時間で、早くも前方にドレッドヘアが見えてきた。道端に座り込んで、自分の足をマッサージしている。どうやらこむら返りを起こしたらしい。

タケシと並んで走っていると、こっちまでつらい気分になった。目はうつろで、顔じゅうに汗の粒を浮かべ、無言でペダルをこいでいる。彼の好きな下ネタを振っても反応が弱い。

さらに困ったことには、自転車がすさまじいボロさだった。

走りだして三日目にはペダルのクランク（回転軸）がガタつき始めた。なかを開けるとベアリングがビスケットのように砕けている。信じられないもろさだ。新しいベアリングに交換し、キャップを閉めるが、なぜかきちんと入らない。しかたなく斜めに強引に押し込み、当座をしのぐ。その翌日はクランクを止めるピンがポッキリ折れた。針金をくくりつけ、当座をしのぐ。それから間もなくブレーキがすっぽ抜けた。針金で当座をしのぐ。まるでコントだ。

それなりに高級なチャリを買ったアサノはいいペースで走っていたが、それでも顔には余裕が見られなかった。荷物をつけた重い自転車を終日こぐという行為に体が慣れるまで、一週間はかかる。それまでは筋肉痛やどうしようもない疲労に耐えなければならない。

ふたりとも毎日ぐったりしていた。想像以上にキツイと感じているようだった。しかし、チャリ旅を始めたことを後悔するんじゃないか、という不安は、まったくぼくの杞憂《きゆう》だったらしい。

日暮れ前、村が見える。すると、それまで弱っていたタケシが最後の力を振り絞ってスピードを上げ、ぼくを追い抜いていく。その刹那《せつな》、こっちを一瞥し、汗だくの顔をゆがめてニヤッと笑う。ぼくもすぐにスピードを上げ、抜き返しざまに叫ぶ。

「十年早いわ！」

タケシが再び全速力でぼくを追い抜き、狂人的な笑顔を作って叫ぶ。

「ジジイは引っ込んでな！」

アサノがうしろで大笑いしている。

ぼくたちは毎日、村の酒場に向かって走った。灼熱のなかを一日じゅう走り、大量の汗を流したあとに飲むビールはこの世の至福のすべてじゃないかと思った。ひとりのときもこの一杯のために走っているようなものだったが、三人で走ったあとに飲むビールはさらに格別だ。ぐびぐび飲んでは絶叫し、互いの満足げな顔を見ては笑い合う。

ある晩、ぼくたちは酒場の裏にテントを張った。メシを食って飲んだあと、草むらに寝転がって、ほろ酔いかげんで星を見ていた。草の匂いが体を包み、コオロギの声があちこちから聞こえてくる。

　アサノがぽつりと言った。

「あれ、UFOかな？」

　彼の指さすほうを見ると、黄色く光る物体が猛スピードで夜空を渡っていく。

「うわ、あれ、人工衛星とちゃうぞ！」

「すげえ！　絶対UFOだ！」

　ぼくたちは寝転がったまま、それぞれ好き勝手に叫んで大騒ぎした。このとき、どういうわけか青春という言葉を頭に浮かべ、ひとり、苦笑したのである。

44

## 旅人たちのブルース――五年目・十二月

　ボツワナに入ってからゾウが多くなった。

　サバンナを走っていると、突然ゾウの群れがドドドドドッと地響きのような足音を鳴らしながら道路の上に現れる。ぼくたちは慌ててUターンし、彼らが通り過ぎるのを待ちながら、お互い顔を見合わせ、引きつった笑いを浮かべる。アフリカを走っているなあ、としみじみ実感するのだ。

西へ西へとひた走り、ナミビアの首都、ウィントフックに着いたのは、年の暮れも押し迫ったころだった。

ここでぼくたちは、以前会った三人の日本人旅行者と再会した。彼らは、ぼくたちチャリトリオが企画した「年越しパーティ」に参加すべく、旅の日程を合わせてここにやってきたのである。

ぼくが旅を始めたころは、各地の日本大使館で受けとる手紙だけが友人との唯一の連絡手段だったが、このころになるとアフリカでもあちこちにインターネットカフェができ、旅人のあいだでメールのやりとりをするのが当たり前のようになってきた。そのおかげで、旅人同士が時期を合わせて一堂に会す、なんてことも気軽にできるようになった。旅の世界も変わったものだ。

大晦日《おおみそか》、ぼくたち六人は四駆のレンタカーを借りて、ナミブ砂漠に向かった。着くころには夜になっていた。だだっ広い砂漠にシートを敷き、「イセエビ味噌鍋」をつつく。満天の星空の下で笑い声が響き、次々にビールが空いていく。

ひとしきり飲んだあと、今回わざわざ来てくれたゲストのためにコンサートをやった。ぼくとタケシは「ザ・ヒポクリッツ」《偽善者たち》という音楽ユニットを結成し、旅をしながら曲を作っていたのだ。だいたいぼくが詞を書き、タケシがそれに曲をつける。
まずはデビュー曲、『俺はアサノヨシナオ』。アサノの誕生日にプレゼントとして作った曲だ。ギターのマイナー音が哀愁たっぷりに暗い砂漠の上を流れだした。

空に溶けるタバコの煙を　見たとき　俺は我に返った
もうこんなところまで　やってきたんだと
その瞬間　長い道のりが見えた
サバンナの風が足をすくった
「さあ、走るぜ！」
地中海を渡り　サハラ砂漠を越え
マラリアモスキートをぶっとばせ
ザイールの上空を渡り　川下りに思いをはせ
ツエツエバエをぶっとばせ
俺はアサノヨシナオ
ロマンに生きる男
いつの間にかもう三十歳

「おおーっ」

完成度の高さにみんなから拍手が起こった。

二曲目はぼくたち自転車チーム「ドライペニーズ」のテーマソングだ。タケシがギターを弾き、ぼくとアサノが振りつきで歌う。

血走った目で　鼻息も荒く
――中略――
ドライ　ドライ　ドライ　ドライ　ドライ　うっ
俺たちゃドライペニーズ

みんな腹を抱え、ヒーヒー、苦しい、ともだえている。歌詞だけでなく、振りも恐ろしく下品なので、アフリカ人相手に演奏したときも大好評を博した歌なのだ。笑い転げているみんなの姿を見ていると、サバンナのなかで歌と振りの猛特訓をした、あの血のにじむような日々が報われたような気がした。

さて、問題は三曲目である。今日のために作った年越しソングだ。これは大まじめ。作りながらタケシと目標を立てた。

「ひとりは泣かす」

参加者のなかにクミさんという女性がいた。彼女もひとりで長期の旅をしていた。ナイロビで別れてから、ある日、彼女からこんなメールが届いた。

「自分が本当はどこに行きたいのか、何がやりたいのかわからなくなってきた」

これは、もしかしたら長期旅行者が陥りやすい心理状態なのかもしれない。旅の日々に疲れ、感受性が磨《す》り減り、目に映るものになんの関心も持てなくなってくる。ただ、移動しているだけ。あるとき、ふと我に返って呆然《ぼうぜん》となる。自分はどこに向かっているのだろう？

この感覚は、しかし、旅人に限ったものではないんじゃないだろうか。

そんなことを考えているとき、この歌『ピリオド』の詩が頭に浮かんだ。

タケシの力強く、やさしい歌声とギターが流れ始めた。

アスファルトの隙間に　咲いている白い花を
君の鉛の足は　よけようともしなかった
踏みつけたあとで　ようやく立ち止まり
つぶれた花を前に　背中丸め　しゃがみ込んだ

君の両側を流れる　裸足の子どもたち
そのひとつひとつに灯る　光を見ることも忘れ
うつむいて歩き　やがてたどり着いた
最果てのモニュメントには　かすれて読めない文字があった
旅に疲れた　小さな君よ　ここに集《つど》うがいい
今日みたいな夜は　何も考えなくていい
砂漠の星の下　朝まで飲み明かそう
そして明日になったら　朝もやのなかで白く染まるよ

村のはずれに建つ　さびれきったバーには
つぎはぎの服を着た　老人がたたずんでいて
ぼくが来るのを待っている
そっと扉を開けたら　彼はしわくちゃになって
「ハロー」を三回言った
飲みかけのチブクを　ぼくに勧めて
彼は無邪気に笑い　ぼくも笑いながら

なぜか泣きそうになった
なぜ旅をしてるの?
答えはあったかもしれない　ただいまは道が続く
旅を忘れた旅人よ　ここに集うがいい
今日みたいな夜は　すべてを忘れていい
砂漠の星の下　朝まで歌い明かそう
そして明日になったら　海からの風に吹かれよう

演奏が終わっても、みんな押し黙ったままだった。静寂に耐えきれないといった様子で、タケシが言った。

「ど・う・で・し・た・か?」

ぼくがそれに答えた。

「よ・か・っ・た・ん・じゃ・な・い・で・しょ・う・か」

作った当人たちしか反応していないではないか。そんなバカな。ぼくは「目標確認」と言いながら懐中電灯をつけた。急にクミさんが顔をそむけた。だが、その目に浮かんだ涙を、光ははっきりととらえていた。

「タケシ！」

「ユーさん！」

ぼくたちはガッチリ握手して叫んだ。

「目標達成！」

「もぉ……。ばれないですんだと思ってたのに」

クミさんはそう言って、涙をふきながら笑った。

## 45
## ダチョウの卵の食べ方――五年目・一月

「俺も自転車買う！」

年越しパーティにやってきたゲストのひとり、ジュンが言いだした。ひょうひょうとしているくせに、なんにでもやたらと感動するこの男は、パーティの乱痴気《らんちき》騒ぎのなかで「こいつらと一緒に行こう」と決めたらしい。

やれやれ、これで四人である。

初日は調子に乗って飛ばしていたジュンだったが、二日目からはぼくたちに大きく差をつけられていった。タケシもアサノも二ヵ月前にハラレを出たころと比べ、格段に速くなっている。とくにタケシは、人民チャリのくせに、平地ではぼくやアサノと同じスピードで走るからすごい。彼を支えているのは〝意地〟だけだが、たいしたものだ。もっとも、上り坂になると、はるか下のほうで自転車を押して歩いているのだが……。

ジュンは日ごとに生気が失われ、やつれていくようだった。ゴールの喜望峰まではあと一五〇〇キロ。順調に走って一ヵ月弱の距離だ。体が慣れ、自転車をこぐことに苦痛を感じなくなったころには旅が終わっているかもしれない。下手をするとつらい思い出だけの旅になるだろう。それなのに彼は大金をはたいて自転車とキャンプ用品を買ったのだ。ジュンが自分で言いだしたことではあったが、ぼくはなんだか彼に申し訳ない気分だった。

ところが、ある日、サバンナのなかでキャンプし、いつものようにみんなで晩メシを作っているとき、ジュンはポツリとこうつぶやいたのだ。

「ああ、楽しいなあ」

ジュンの顔を見た。髪は乱れ、ぼんやりした目つきになっているのだが、何か本当に満ち足りたような顔をしているのだ。ぼくは急に新鮮な気持ちに包まれた。

タケシやアサノと走り始めたときもそうだった。ぼくにとってチャリ旅は日常で、ペダルをこぐことが当たり前になっている。でもこうやって彼らと走ることで、あらためて気づかされるのだ。汗を流して、自分の力で目的地に向かうという単純な行為が、どれだけおもしろいかということを。

また、アフリカほど〝単純さ〟を痛感させられるところもなかった。まっすぐな道に、どこまで行っても褐色の大地と灌木《かんぼく》が続く単調きわまりない景色。四十度を超す灼熱のなか、ただ走っているだけだ。ふつうに考えたらおもしろみなんてまったく見当たらない。上り坂なんか苦痛一辺倒だ。しかし、ジュンの「楽しい」という言葉の意味に、どうやらタケシもアサノも素直に納得しているようなのだ。そして、ぼく自身も……。

ある日、ぼくたちはダチョウ農場でダチョウの卵を一個買い、キャンプ場に持ち帰った。鶏卵二十個分の、まるで怪獣の卵のようなそれを前に、熱いトークが繰り広げられる。

「ダチョウの肉と合わせて親子丼がいいよ」

「それいいなあ」

「でも肉は売ってなかったぞ」

「ふつうにオムレツにする？」

「いや、それなら目玉焼きのほうがおもしろいやろ」

「どうせならハムエッグにしようよ」

「味でいくならベーコンエッグでしょ」

「卵かけごはん！」

「アホ！　生やんけ！　お前が最初に食えよ！」

みんな子どものように熱心に意見を出し合うのである。メンバーに恵まれたな、とつくづく思う。全員が〝おもしろいこと〟に貪欲なのだ。

激論の末、結局ベーコンエッグに決まった。卵の殻は石のように硬いので、のこぎりを使い、四人でまわしながら切っていく。パカッとふたを取るようにして卵の上部を開け、大鍋に中身を注ぐと、大量の白身の上に満月のような巨大な黄身がどろんと浮かんだ。「おおおーっ」とみんなから拍手喝采が起こる。ジュンが再びつぶやいた。

「楽しいなあ……」

ところでダチョウ卵の味のほうだが、コクがありすぎて、食べるほどにみんなの顔から微笑みが消えていくのだった。

46

# 陽炎のなかで——五年目・二月

カメレオンが道路を歩いている。

ぼくたちは自転車をとめ、ニタニタ笑いながらカメレオンに近づいていく。カメレオンは逃げない。いや、逃げているのかもしれないが、動きが遅いので必死さが伝わってこない。〝保護色〟という防御手段があるだけに、その分、動作がのろいのだろう。たぶん。

木の棒にのせてみると、道路を歩いているときと同じように、がに股でのっそりのっそり歩く。アサノの自転車の赤いフレームにのせてみると、みんなの期待を裏切って、皮は少しも赤くならなかった。〝保護色〟も色を選ぶらしい。

ドライペニーズが結成されてから走るペースが極端に落ちていた。複数の人数で走ると、自転車の故障や体調不良の回数が単純に多くなるため、どうしてもそうなる。だが、このチームの場合、距離がのびないのは、みんなの〝遊び癖〟も大きな原因だった。

ぼくたちを誘惑するのはカメレオンだけじゃない。野外排泄行為をしていると、ときどきフンコロガシがやってきて、自分が落とした産物を転がし始める。じっくり観察しないわけにはいかない。

灼熱の荒野を走り抜けて村に着くと、道路沿いに酒場が現れる。冷たいビールの引力にはとても抗《あらが》えない。そうして昼間から顔を赤らめ、走る気をなくしてしまう。

また、アフリカ南部に入ってからはリゾート型のキャンプ場が増えた。プールなんかまでついており、あまりにも快適なのでついつい連泊してしまう。

ハラレから喜望峰までは二ヵ月で行ける距離だが、チームが結成されてからすでに三ヵ月以上が過ぎ、ゴールは依然としてはるか彼方にあった。

そんなあるとき、三人がぼくの誕生日までにケープタウンに着くようにがんばろう、と言いだした。ケープタウンは喜望峰にほど近いアフリカ南端の町だ。

「無理せんでええよ」

ぼくはそう言いながらも、みんなの心遣いがうれしかった。

しかし、その日までにケープタウン到着を目指すとなると、これまでのように遊んでばかりはいられない。かなりタイトなスケジュールになる。それに合わせてストイックになれるかどうか半信半疑だったが、意外にもみんなまじめに走るようになった。

その無理がたたったのか、チーム全体に疲労感が漂い始めた。なかでもアサノは体調に異変をきたしたらしく、休憩のたびに地面に座り込み、肩で息をしている。顔色のさえない彼に、ぼくは言った。

「もう、やめよ。誕生日なんかどこで迎えてもええから」

しかし、男気のあるアサノは、「大丈夫だよ、問題ないって、行こう」と疲弊しきった顔に笑みを浮かべるのである。


そんなある日のことだ。

ぼくの前にはタケシ、うしろにはアサノとジュンが走っていた。

アサノが遅れだした。かなり苦しそうな表情だ。彼のすぐ前を走っているジュンに、そのままアサノをフォローしてもらおうと思った。

ふだんは各自ペースが違うので、走りだすとバラバラになり、休憩時に合流する、というやり方だった。しかし、治安の悪いここ南アフリカでは、最後尾の者がひとりきりにならないように気を遣った。だいたい、まだ体のできあがっていないジュンが遅れ、ぼくかアサノが彼につく。タケシはあまり何も考えずマイペースで走る。

気がつくとジュンがぼくの横に並んでいた。うしろを見るとアサノがひとり取り残されている。ジュンが言った。

「ユーさん、アサノさんフォローしてくれへん？」

「……ああ、いいよ」

そしてジュンは、ぼくを追い抜いていった。

──なぜ自分でフォローしてあげようとは思わない？

ぼくはジュンにかすかな憤《いきどお》りを覚えた。ジュンはアサノに一番世話になっていたではないか。

スピードを落としてうしろを見た。アサノはひとり、つらそうにこいでいる。ハンドルがよろよろと左右にふれ、ひどくおぼつかない姿に映った。

アサノは面倒見のいいヤツで、ジュンがドライペニーズに加わると聞いて、彼を弟分のようにかわいがった。ジュンの自転車をツーリング仕様に改造するときはアサノが毎日面倒を見ていたし、旅が始まってからもジュンが遅れたときはアサノが何度もフォローしていた。

ところがジュンはいつの間にか、音楽や女の話などで波長の合うタケシとよくつるむようになっていた。いまもこうして、ジュンは弱っているアサノを放って、前にいるタケシのところに向かったのだ。遠ざかっていくジュンの背中を見ながら、アサノは何を感じているだろう……。

次の休憩のとき、ぼくは我慢できずにジュンを呼びだし、ふたりきりになって言った。

「なんで自分でアサノくんをフォローしてやろうとは思えへんのや？」

ジュンはぼくの目を見つめたあと、うつむきかげんでぽつりぽつりと答えた。

「弟分みたいな俺がフォローしたら、アサノさん、意地になると思って……。だからユーさんのほうがいいかなって……」

ぼくは言葉をなくした。自分の浅はかさが恥ずかしくなった。ジュンには、彼なりの考えがあったのだ。

次に走りだしたとき、ジュンは自らアサノについた。


気が遠くなるほど長い、まっすぐな上り坂だった。おまけにひどい向かい風だ。顔を伏せ、ただただもがき続ける。先に出発したタケシが、はるか前方で自転車を押している。うしろにはジュンとアサノがいるはずだったが、振り返って彼らの位置を確認する余裕は、ぼくにはなかった。

しばらくしてうしろを見たとき、アッ、と声が出そうになった。ジュンの姿は小さく見えるが、アサノの姿がどこにもない。慌てて自転車をとめ、双眼鏡を取り出してのぞく。やはりアサノは見当たらなかった。

下り坂は地平線に向かって一直線にのびている。遠くのほうは陽炎《かげろう》に包まれ、あらゆるものがゆらめき、ぼやけていた。

そのまま双眼鏡でジュンを見た。顔を下に向け、苦しそうに自転車をこいでいる。彼もアサノが遅れていることを知らないようだ。やがて、ジュンは顔を上げ、ぼくがとまっていることに気づいた。そして、ハッとしたようにうしろを振り返った。

次に、双眼鏡のなかに映った光景に、ぼくは全身を打たれた。ジュンは自転車をUターンさせ、いままで必死で登ってきた坂道を下っていったのだ。このどうしようもない苦痛を、もう一度味わうことも顧みずに……。

ジュンの背中はゆっくりと小さくなり、やがて陽炎に包まれて音もなくゆらめき、しだいにそのなかに溶けていった。

47

## アフリカのゴール——五年目・二月

「ジュン、海や！」

すぐうしろを走っていたジュンに、ぼくは思わず叫んだ。

カーブを曲がった瞬間、目の前が一面コバルトブルーになったのだ。アフリカの東側、タンザニアで見て以来、じつに八ヵ月ぶりの海である。

その広さと輝きに見とれながら、しかし一方で、どこか寂しい気分を抱えていた。アフリカももう終わりだな、と思ったのだ。

そこからしばらく行くと、スラム街が広がった。廃材をかき集めて作ったような小さな家がひしめき、あたり一面にゴミが散らばっている。とてつもない広さだ。町の一角というより、町全体がスラムになっているようである。

そこを抜けてしばらく行くと、やがてモダンなビルの群れが彼方に見えてきた。ケープタウンだ。

宿にチェックインしたあと、夜の街に繰り出して日本食レストランに行き、ぼくたちは大奮発で寿司を食べた。この日、ぼくは旅に出てから五度目の誕生日を迎え、三十一歳になったのである。

街で三日休養したあと、アフリカの最終目的地、喜望峰を目指して出発した。ケープタウンからは七〇キロの距離だ。

海沿いに道が続き、瀟洒《しょうしゃ》な白い別荘が建ち並んでいる。ケープタウンの手前にあった黒人たちのスラム街とは天と地の差だ。

アパルトヘイト（人種隔離政策）は一九九一年に撤廃されたが、だからといって彼らの生活がドラマティックに変わったわけではない。白人が豊かに暮らし、黒人が貧しい暮らしを強いられるという構図は昔のままだ。

その日は喜望峰の手前二〇キロのところでキャンプした。ぼくたちは朝まで飲み、語り、ギターで歌い明かした。

翌日はひどい二日酔いだった。昼過ぎまで寝たあと、テントを回収し、だらだら出発する。

喜望峰までのラスト二〇キロは保護区になっていて、自然の緑に覆われている。

海岸沿いの草原にダチョウの群れがいた。海とダチョウというのは、なんだか不思議な取り合わせだ。


喜望峰には、みんなよりひと足先にぼくが着いた。

海のすぐそばに「Cape of Good Hope《喜望峰》」と書かれた木の碑が立っている。ぼくはそれを、児童公園の看板でも眺めるように淡々と見つめた。ひどくあっけない気分だった。ウシュアイアに着いたときと同じだ。大陸を走りきって最終地に着いた、という手ごたえがほとんど感じられない。あるいは、熱くなれないのはここがぼくの本当のゴールじゃないからだろうか。このあとはユーラシア大陸横断が待っている。

アサノが現れた。彼は自転車を看板に立てかけたかと思うと、こっちにスタスタと歩いてやってきて、「ユーさん！」と叫び、片手を上げた。つられてぼくも手を上げると、アサノはニーッと笑いながらそれをパーンと叩いた。ハッと目が覚めたような思いがした。

――たどり着いた。

タケシやジュンもやってきた。みんなそれぞれに手を叩き、握手し、抱き合い、笑った。みんな気持ちがはちきれんばかりの様子だった。ぼくもその雰囲気にのせられ、一緒に舞い上がり、笑い、そして目元が熱くなった。ぼくの旅はまだ続く。しかし、彼らとの旅はここで終わるのだ。

大騒ぎしながら写真を撮ったあと、みんなで海岸に座り、西日に照らされている海を眺めた。一面に白い光の粒が舞い、静かな波の音だけが聞こえている。

「じゃ、このへんでいきますか」

タケシがギターをカバーから出した。そして、「ザ・ヒポクリッツ」のラストソング『ぼくたちの時間』を歌い始めた。

陽炎にゆらめくあいつの背中が次第に消えていく

ぼくは再び下を向いて道の流れを見つめた
自分の息づかいだけが聞こえる　ばかばかしく真っ白な毎日
長い坂道を上り続けたら　道の先にあいつの笑顔が待ってた
走り続けてきた　走り続けてきた
水を飲み　汗を流して
走り続けてきた　そしてたどり着いて
ぼくたちの時間が終わろうとしていた

そのころぼくはどうしているのか
いまの顔とは少し違うだろう
いろんなものが散らかった部屋で　いまよりは難しい世界にいる
ガラクタのなか　手探りしたら　一枚の写真が出てきた
道の上に四人の姿があって　そのなかのぼくたちは笑っていた
走り続けてきた　走り続けてきた
水を飲み　汗を流して
ぼくたちの時間は　遠い過去となった

それでもまだ風は　あのなかで吹いてる
道の流れだけを見つめている
この汗の意味は知らないが　この日々をここに残していく
ぼくたちはいま道の上にいる
走り続けてきた　走り続けてきた
水を飲み　汗を流して
走り続けてきた　そしてたどり着いて
ぼくたちの時間が　いま終わろうとしていた
陽炎にゆらめくあいつの背中が　しだいに消えていく

帰り道、海に落ちる夕日を見ながら走っていると、突然、ダチョウの群れが路上に出てきた。彼らは先頭を走っていたタケシに驚き、いっせいに駆けだした。タケシは「待てー！」と叫びながら自転車で追いかけ、ぼくたちはうしろでゲラゲラ笑った。

夕日のオレンジ色に包まれたタケシとダチョウのチェイスシーンは、しかしなぜか、少し物哀しくもあったのである。

## 48 故郷——五年目・三月

人々は言う。

「アフリカの水を飲んだ者は、再びアフリカに帰る」と。

アフリカの旅を終えたいま、ぼくはまさにその言葉を嚙みしめている。

ケープタウンに戻ったあと、ロンドンに飛ぶまでの数日間、街を歩きまわった。アフリカの空気を少しでも吸っておきたかったからだ。ヨーロッパのように小ぎれいな街だが、それでもいたるところに〝アフリカの空気〟は漂っていた。

ショッピングモールでは黒人の子どもたちがダンスをしていた。ひと目で手作りとわかるピンクの衣装を着て、ひとりが太鼓を叩き、七人の女の子がそれに合わせて激しく踊っている。躍動感にあふれたその動きに、ぼくはすっかり心を奪われた。お世辞にも上手とはいえないダンスだったが、彼女たちは一生懸命踊っていた。そして、とても楽しそうだった。なんだかまぶしくて、見ているうちに涙がこぼれてきた。

ひとりの女の子が、段ボールの小さな箱を持って見物人のまわりを歩きだした。ぼくは持っていたコインを全部そのなかに入れた。

そのあと、露店のみやげ物屋を冷やかしながら歩いた。店主同士がスワヒリ語で話しているのが聞こえた。ぼくは驚いて、思わず「どこから来たの？」とスワヒリ語で彼らに尋ねた。スワヒリ語はアフリカ中部の言葉で、アフリカ南部のこのあたりでは使われていないはずだ。

恰幅のいいオバサンが「マラウイだよ」と答えた。

「俺、マラウイを旅してきたよ」と返すと、まわりで同じように露店を開いている人たちが、口々に「マラウイのどこらへんだい？」と人懐っこい笑みを浮かべて聞いてきた。

「えー、あなたたち、みんなマラウイから来たの？」

「そうだよ」

みんな出稼ぎに来ているのだ。

「俺、マラウイ大好きだよ」と言うと、彼らはいっそう親しみのある笑顔になり、ぼくを囲んで大騒ぎになった。

ひとりのオジサンが、「俺はザンビア人だ」と言った。ぼくはまた興奮して、「ザンビアも行ったよ、あそこも大好きだ」と返した。みんなドッと笑った。ぼくも自分の調子のよさに気づいて、彼らと一緒に笑った。

ひとしきりしゃべったあと、みんなに手を振ってそこを離れた。歩いていると、また涙が出てきた。アフリカの旅が終わると思うと、寂しくてしかたがなかった。これまであちこちを旅してきて、こんなことは初めてだった。

どういうわけか、ぼくはアフリカにいるあいだ、よく涙を流した。何か特別な理由があったからではない。この地に生きる人々や、大地から、スッと手がのびてきて、心のやわらかいところをなでられるような瞬間が何度となくあったのだ。

人々はぼくと目が合うと、旧友に向けるような微笑みを浮かべた。サバンナの草原は海のように雄大で、風が吹くと草原全体が生きもののように揺れた。そこを駆けていくキリンにはえもいわれぬ美しさがあった。子どもたちは上半身裸で、力いっぱい大地を走っていた。すべてが独特の透明感に包まれていた。涙が誘われるのは、そこに郷愁のようなものがあったからじゃないだろうか。目を細めても見えないほど、遠い過去からやってくる、人や大地の郷愁のようなものが……。

そして、それらに涙するたびに、ぼく自身がほんの少しずつ透明になれるような気がした。

いつか元の生活に戻り、自分のなかに透明さのカケラも見いだせなくなったら、ぼくはまたアフリカに戻ってこようと思う。

# 第五章
# 中東〜アジア

49
## 運命の傀儡――六年目・十一月

ケープタウンで「ドライペニーズ」は解散し、四人はそれぞれの方向に進んでいくことになった。

アサノは自転車を持って南米へ。タケシはジュンの自転車「ステファニー号」を叩きに叩いて二束三文で買いとり、それを持ってフランスへ。ジュンはチャリダーからバックパッカーに戻り、バスでアフリカの東へ。そしてぼくはロンドンへと飛んだ。残りの一台、タケシの「ハト号」は四〇〇〇キロの旅を経て絶命寸前となっており、現地で仲よくなったアフリカ人にプレゼントした。


ロンドンでは弁当屋の社長やスタッフたちに再会し、しばらくリラックスした日々を過ごした。旅の最終ステージ、ユーラシア横断を目指して走り始めたのは、日本を出て五年目の春のことだった。

ひとりで走るのは久しぶりである。身軽にはなったのはいいが、キャンプのときなど、とうもろこし畑に沈む夕日を見ながら、ふいに孤独感に襲われることがあった。孤独とは長いつきあいだったのにな、と少し苦笑してしまう。

ヨーロッパの中央部を気楽に観光しながら走っていく。どの国も夏の日差しを浴びて白く輝き、山も森も鮮やかな緑に包まれていた。

ギリシアあたりからは山が淡い褐色の地肌を見せ始め、そしてトルコのボスポラス海峡を渡ってアジアに入ると、荒野がいたるところに目につくようになった。秋も深まり、ずいぶん肌寒くなってきた。

トルコの中央部からは進路を変え、南へ向かった。大陸横断の前に、やはりエジプトのピラミッドだけは見ておきたかったのだ。

そして、シナイ半島に入ったところで、その事件は起こった。

凪《な》いだ海のような砂漠だった。無人のアンテナ塔がぽつんと立っており、ぼくはその裏にキャンプしていた。

ザッザッザッ、という音が聞こえたとき、深い眠りから一気に覚醒し、全身がカッと熱くなった。人間の足音だ。まっすぐこっちに向かってやってきている。

ぼくは音を立てないように半身を起こした。いったい何しに来た？　どうしてここがわかったんだ？　道路からここは死角で、テントは見えないはずなのに……。

　バッグの底から大型ナイフを静かに取り出す。手のひらがねっとりと汗ばんでいる。テントは入り口を全開にし、メッシュだけ閉じている。そのメッシュ越しに月明かりに照らされた青白い夜空と砂漠が見える。足音はいったんテントの背面に近づき、そのあと、まわり込んで正面のほうにやってきた。

　ふたつの人影が月明かりに浮かんだ。彼らはテントの目の前まで来て立ち止まり、ジッとこっちに顔を向けた。

　メッシュがあるので、彼らからはこのテントのなかは光の加減で見えないはずだ。だが、こちら側からも、月明かりのせいでふたりの姿はシルエットになり、その表情は読みとれなかった。ただ衣服の影形から、彼らが砂漠の民ベドウィンだということだけはわかった。

　砂漠の奥にある家に帰る途中だったのだろうか。アンテナ塔は彼らにとっての道標《みちしるべ》で、そばを通りかかったときに、たまたまぼくのテントを見かけた……？

　ひとりが低い声で、「ハロー」と呼びかけてきた。ぼくはできる限りドスのきいた低い声で「ハロー」と返した。少し間があいたあと、ふたりはひそひそと何か話し始めた。月明かりに時計をかざして時刻を見る。午前二時。

　ベドウィンが旅行者を襲ったという話は聞いたことがない。しかし、着の身着のままのような格好をした彼らの目に、この自転車やテントはどのように映るのだろう。しかも真夜中の砂漠という状況である。ほかに誰かが通りかかるということは、まずない。

　彼らが再び動きだした。テントから遠ざかっていったと思ったら、また近づき、視界から消えたと思ったら、また現れる。その動きが、じつに異様だったのだ。歩いているというよりは、滑っているといったほうが近かった。ちょうど氷の上でスケートをしているように。あるいは、亡霊が宙に浮かんでさまよっているかのように。それは見とれてしまうほどに華麗で、そしてその美しさゆえに背筋が冷たくなるほど不気味だったのである。ぼくは自分の置かれた状況を忘れて、砂漠に住む彼らの歩行術に心を奪われた。

　しかし、彼らはいったいなんのために、テントやアンテナ塔のまわりをグルグルさまよっているのだろう――？

　ぼくはもう落ち着き払っていた。なるようにしかならない、という開き直りが、昔からぼくにはあった。すべてのことは最初から決まっていて、運命は自分の前にレールのように敷かれている。自分はただその上を歩いているだけだ。傀儡《かいらい》のようなものなのだ――そんな、ある種の諦観《ていかん》がぼくの底には流れている。

「運命をメチャクチャにしてやる」という思いで旅に出たが、そういった考えは、つまりそれだけ〝運命〟を意識しているということだった。まるで気にしなければ、運命という言葉など最初から頭に出てこないのだ。

このあと、自分はどうなるのだろう。ふたりのベドウィンに襲われる運命なのか、それとも別の運命が待っているのか……。

やがて彼らは砂漠の奥のほうへと消えていった。

しばらく待って、入り口のジッパーを、音が鳴らないように開ける。テントからそっと這い出し、月明かりに照らされた砂漠を見まわした。どこにもふたりの姿はなかった。完全に去っていったようだ。とりあえずホッとしたが、まだ終わったわけじゃない。

彼らが去っていった理由はふたつ考えられる。ぼくに興味がなかったか、あるいは武器になるものを自分たちの家に取りにいったかだ。もしかしたら仲間もつれてくるかもしれない。最悪のケースを考えて、いますぐここを発《た》ったほうがいいのは明らかである。しかし、ぼくはどうしようもなく疲れていたのだ。連日の無理な走行で体が耐えがたいほど重く、一分でも早く横になりたかった。こんな夜中からテントを畳んで出発するなんて、考えただけでもうんざりする。砂漠の彼方をもう一度、注意深く見まわした。人気はない。

なんとかなるだろう、と思った。

ぼくはとどまることにした。自分の運命を試してみよう、という考えがそこにはあった。すべては最初から決まっているのだ。もし、ヤツらが戻ってきて自分に万が一のことがあったら、自分の人生はそれだけのものだったのだ……。

それでも一応、何か武器になるものはないか、あたりを探してみた。アンテナ塔のまわりにはたくさんの廃材が捨てられていたのだ。だが、手ごろなサイズの鉄パイプは見つからなかった。

そのとき、ある考えが頭をよぎった。

——ヤツらも同じように武器を探していたんじゃないのか？

ここには何もなかった。だから自分たちの住処に武器を取りにいった……？

体じゅうを覆っていた倦怠感《けんたいかん》が消えていき、血がざわざわと騒ぎ始めた。この旅で何度も頭に浮かんだ別の考えが、さっきまでぼくを覆っていた諦観を押し流していった。

——違う。

自分の前にあるのは、一本のレールなんかじゃない。道は無数に枝分かれして広がっているのだ。どこへ向かうかは自分しだいなのだ。「なんとかなるだろう」じゃだめだ。運命に翻弄《ほんろう》されてはいけない、運命に操られていてはいけない……。

自ら動け！

ぼくはテントを畳み始めた。回収作業を進めながら、「この先のことなど、何も決まっていないのだ」と何度も自分に言い聞かせた。

すべての荷物を自転車にくくりつけ、夜中の街道に出た。行く手は漆黒の闇に吸い込まれている。そこに向かって、自転車をこぎだした。

夜道を一時間ほど走ったところでようやく、身を隠すのにちょうどよさそうな砂丘が現れた。その裏にテントを張り終えるころには朝の四時半になっていた。横になり、深い息をついた。

彼らが戻ってくることはなかっただろう、とそのとき思った。もし本当にそうだったとしたら、ぼくの行動はただの徒労だったのだ。だが、そんなことはどうでもよかった。

運命に対して自ら動いた。あの状況で動けるか動けないか、もし結果が同じだったとしても、そこには決定的な違いがある。旅に出る前のぼくなら動かなかった。いや、動けなかった……。

空がうっすらと白み始めていた。世界が静かに変わっていく様を、ぼくは長いあいだ見つめていた。

50

## ピラミッドのベスト鑑賞法――六年目・十二月

ピラミッドを囲む広大な敷地に入ると、ツーリストでごった返していた。まるで縁日のような賑《にぎ》わいだ。ある程度予想していたのでがっかりはしなかったが、さすがにこれじゃ神秘的な空気を感じようもない。

それよりも問題はピラミッドだった。想像よりはるかに小さいのである。

「やっぱりこのパターンか……」と冷めた思いで近づいていくと、スフィンクスが現れ、なんとなく笑いそうになった。いくらなんでもこれは違うだろう、と思った。縮小サイズの模型はいいから、早く本物を見せてくれよ――。

そのあと、それがまさに本物のスフィンクスだと知ったときは急に疲れを覚えた。またもやテレビや写真の魔術にやられたらしい。

しかし、そこからピラミッドに近づいていくにしたがって少しずつ印象が変わっていき、そしてとうとう真下までやってくると、落ち着きを失うほどに興奮してしまうのである。そこから見上げるピラミッドはあまりにも巨大なため、中腹がせり出し、頂上は隠れていた。

まさに山だ。最初、小さく見えたのは、背景に広がっている砂漠が大きすぎたからだろう。

ピラミッドのなかにも入ってみた。細長い通路が急傾斜で下に向かっている。外壁の風化した石とは対照的に、内側の石の壁はツルンとして、みずみずしく光っている。四千年前に造られたものとはとても思えない。

王の墓があったとされる玄室は、今はもぬけの殻だった。そこで座禅を組み、目をつぶって瞑想《めいそう》してみた。自分が〝開発〟されないだろうか、などと思ったのだが、蒸し暑いわツーリストが次々に入ってくるわでまったく集中できない。バカバカしくなって目を開けると、おや？　いつの間にか、ぼくと同じように目をつぶって座禅している白人がふたりいる。真似しやがったな、と内心笑ってしまった。

外に出て、人のいない砂漠のほうへと歩いていく。砂の上にあぐらをかき、遠くのピラミッドを眺めた。遺跡は夕日を浴びて金色に輝いている。

さて、これからが本番だ。ぼくはここにひとつの作戦を用意してきていたのだ。ピラミッドを最高のシチュエーションで鑑賞するための大プロジェクト、名づけて「ピラミッド月見作戦」である。

閉門の午後五時が近づくと、小さい砂丘の裏に身を潜めた。これで監視人からは見えないはずだ。五時になって最後の観光客が出ると、ひっそりした空気があたりを包んだ。

太陽が沈み、ピラミッドは淡いピンク色に染まっている。そのすぐ横に奇妙なものがあった。巨大な、信号機の赤のような光。それが地平線からゆっくり昇ってくる。月だ。やった、計算どおりだ。満月の日は、日没と同時に月が東の空に昇る。これをピラミッドで見たくて十日以上も待っていたのだ。

やがて月は地平線から離れ、ボワッと浮かび上がった。

「うほーっ」

ピラミッドと砂漠と赤い満月。こりゃすごい。なんてシュールな世界なんだ。

やがて大地は闇に包まれ、月は上空に昇って白く輝き、天体を青白く染めた。そこに巨大な三角形のシルエットが浮かんでいる。

再びピラミッドに近づいていった。

「おおお……」

不思議なことに、昼間見たときよりもはるかにデカいのである。しかも定規で引いたようになめらかで、異様にとがって見えるのだ。

砂漠に寝転がり、満月と黒いピラミッドを眺め、四千年という時間を思った。空想がどんどん空に広がっていくような甘い感覚が訪れた。そうして、ぼくはピラミッドに抱かれるような気分で、うとうとと眠りのなかに吸い込まれていったのである。

51

## 機関銃が見えたとき――六年目・三月

前方に迷彩服を着た軍人が立っている。ぼくを見ると、手を横に上げた。やれやれまたか、とうんざりしながらブレーキをかける。

「パスポート」

相手は無表情のまま、そう告げる。ぼくは言われたとおり、パスポートを渡す。兵士はそれを仔細《しさい》に眺めたあと、「このあたりは危ないから引き返せ」と言う。ぼくは、「ボスに会わせてくれ」と言い返す。

しかし、出てきたボスも同じ意見だった。ぼくは大きなため息をつき、来た道を一〇〇キロ戻って迂回ルートをとった。やれやれ……。

エジプトを折り返し、シリアから再びトルコに入ると、いやに物騒な雰囲気になってきた。軍の駐屯所が、多いところでは一〇キロおきぐらいに設けられ、自動小銃を持った兵士たちが立っている。小型の戦車がものものしく居座っているところもある。このあたり、トルコ東部は住民の多くがクルド人で、彼らのゲリラ活動や反政府運動があとを絶たないという。しかし、これだけの軍隊が配備されているところを見ると、〝治安維持〟というよりは、クルド人に対する〝武力制圧〟といったほうが当たっているような気がする。

ある日、人里離れた山のなかで日が暮れてしまった。早く寝床を確保しなければ、とあせり始めたころ、ようやく野営できそうな場所が見つかった。道から少し奥まったところに小さな空き地が広がっている。ちょっと無用心な気がしなくもないが、このあたりの夜道をこれ以上走るよりマシだろう。草の茂みがあるので、ある程度テントも隠れるはずだ。

こういうときの直感は経験に裏打ちされているのである。ぼくは自分の判断を信じることにした。

それでも念には念を入れ、完全に暗くなってからテントを張った。メシを作るのも食べるのもライトをつけずに行い、日記をつけるのもやめてさっさと寝た。

しかし、ぼくはだいたいにおいてツメが甘いのだ。翌朝、空がうっすらと明るみ始めてからもグースカ寝ていたのだから。

ザッザッザッ……。

人の足音が聞こえた瞬間、ぼくはバネ仕掛けの人形のようにはね起きた。

「やばっ！」

テントの窓から外を見たとき、一瞬心臓が止まったような気がした。男が四人、それぞれの手に自動小銃を抱え、こちらに歩いてくる。迷彩服の者もいれば、私服の者もいる。

――ゲリラや！

「どうするどうする？」

混乱した頭で激しく思考を巡らせた。

「どうする？　出るか、待つか？」

汗が脇の下からにじみ出てくる。

落ち着け、俺。これまで会ってきたクルド人たちは、みんな本当にいい人たちだったじゃないか。ワケを話せばなんでもないはずだ。俺を誘拐するなんて、そんなことは、まさか、まさか……。

「ええい、ままよ！」

ぼくはテントのジッパーを上げて這い出し、男たちに向かって、「ハロー」と笑顔で手を振った。もうヤケクソじゃ！

彼らの顔に笑みが浮かんだ瞬間、ぼくはその場に崩れそうになった。彼らはトルコ軍側の兵士だったのだ。しかしホッとしたのも束の間、ひとりがこんなことを、冗談とも本気ともつかぬ顔で言った。

「こんなところでキャンプするヤツがあるか。ゲリラかと思って撃つところだったぞ」

……やはりどれだけ旅慣れても、寝る場所には十分注意しなければならないのだ。

52

## 喪失感——六年目・三月

田舎道に一軒のガソリンスタンドがぽつんと建っている。

そこへ立ち寄ってみると、高校生ぐらいの若者がひとりで働いていた。彼はぼくを見て人懐っこい笑みを浮かべた。きれいな目をしている。

ひと通り自己紹介をしてから、

「もし迷惑じゃなかったら、このスタンドの隣でキャンプさせてほしいんだけど」

といった意味のことを、片言のトルコ語とジェスチャーで伝えた。彼、ネルディンは笑顔のまま、手を横に振った。テントなんて張る必要はない、ということらしい。

彼は、ガソリンスタンドに併設されている食堂にぼくを案内し、ここに寝ればいいよ、とジェスチャーで伝えてきた。食堂は、いまは使われていない様子だった。

日が暮れてから携帯コンロを取り出し、食堂のなかで晩メシを作る。そこへネルディンがやってきて、ぼくの前に座った。

彼はまったく英語を解さなかった。一方、ぼくのトルコ語も挨拶程度だから、会話らしい会話にはならない。ただ湯気の上がっている鍋をふたりで見つめ、ときどき目が合っては微笑み合うだけだ。その彼の笑顔に、ふと、見入ってしまった。

イスラム教徒の、とくに田舎の人々は、ときどきこっちがドキッとするくらい、いい顔で笑う。慈愛に満ちたような、その笑顔を見ていると、宗教がいい形で人の心に作用しているな、と思う。イスラム教には客人をもてなすようにとの教えがあり、シリアでもトルコでもよく人の家に招かれ、泊めてもらっていたのだ。

ネルディンの笑顔は、なかでもとびきり輝いていた。ぼくはふいに自分の笑顔が薄汚れているように感じた。いま、ぼくの顔に浮かんでいる笑いは、泊めてくれた相手にへつらうような、要領のいい、いやらしいものになっていないだろうか——?

夜になるとずいぶん冷え込んできた。暦の上では春になっていたが、トルコ東部のこの山岳地帯にはまだあちこちに雪が積もっている。

「ここじゃ寒いだろうから、オフィスで寝なよ」といったようなことをネルディンが言ってきた。たしかにガソリンスタンドのなかはストーブがあって暖かいのだが、そこはネルディンの寝床でもある。ふたりだとかなり窮屈だ。ぼくは自分の寝袋を見せながら、「これは冬用だから、ここでもまったく問題ないよ」と説明した。それでも彼は強く勧めてきたが、ぼくは遠慮し続けた。ネルディンはいったん食堂から出ていき、しばらくして、何かを両手に抱えて戻ってきた。電気ストーブだ。ずいぶん古ぼけている。彼はそれをぼくに見せ、ニコッと微笑んだ。どうしてそこまでしてくれるんだろう、と不思議な気持ちになった。ぼくは申し訳ない思いで、「テシェケレデリム《ありがとう》」と言った。

彼は電気ストーブを持って、少し離れた場所の、コンセントがある柱のほうに歩いていった。ストーブのコードの先にはプラグがなかった。彼はコードの先端を、直《じか》にコンセントに差し込んだ。その瞬間、「ジン」と大きな音が鳴ってコンセントから青い火花が散った。ぼくはびっくりして、ネルディンのもとに走り寄った。彼は顔をしかめ、右手を押さえている。だがこっちを見た瞬間、苦痛に歪んだ顔でニコッと笑ったのだ。泣いているようなその笑顔に、ぼくはハッとなった。

――どうしてそこまで……。

ネルディンは再びコードをコンセントに差し込んだ。同じように青い火花が散り、手がはねあがった。彼はそれでもあきらめようとせず、落ちたコードを拾いあげた。ぼくは「ノー」と言って、彼を止めようとしたが、ネルディンは「大丈夫だよ」といった顔で微笑み、コードを差し込んだ。

「ジン」

彼は小さくうめいて手を押さえた。ぼくはその手をとって、もういい、もういいからやめてくれ……、と日本語で言った。

結局、彼と一緒にオフィスで寝ることにした。そう告げるとネルディンはうれしそうな顔で笑った。その笑顔が再び心に染み入ってきた。

――ぼくはもう、決して彼のようにはなれない。

このとき、なぜかそんなことを思った。胸の奥に穴が開き、そこからいろんなものが抜け落ちていくようだった。どうやっても過去には戻れないように、もう二度と取り戻すことのできない大切なものを、自分はいつの間にか失っていたのだ……。

ぼくは打ちひしがれたような思いで、心のなかで彼の笑顔を抱きしめ、震えていた。

53

## モスクのなかで――六年目・三月

イランに入ると、トルコよりさらに荒野が増えた。

おかげで全体的に季節感が乏しいのだが、町や村に入れば草木も茂っており、新緑の鮮やかな色に包まれている。村人たちもやはり春を待ちわびていたのだろう、心なしか顔もほがらかだ。

ある日、小さな村に着き、ひとりのオッサンに、このあたりでキャンプできそうな場所はありませんか、と聞いてみた。すると、オッサンはこともなげに言う。

「モスクに泊まればいいよ」

ええっ？　と素っ頓狂な声を上げてしまった。そんな神聖な場所に泊まっていいの？

オッサンは、なんの問題があるんだい？　といった顔をしている。

彼はぼくをモスクへ案内した。レンガ造りの古びた建物が、集落に埋もれるようにしてたたずんでいる。なかは絨毯が敷きつめられ、数人の老人がタバコをふかしながらあぐらをかき、ボソボソとしゃべっていた。外見もなかも村の公民館のようだ。

イスラム教の礼拝所、モスクといえば厳粛なイメージばかりが強かったが、もともと村人たちの集会所や、旅人を迎え入れる場所としての役割もあったらしい。

夜の十時から礼拝があるというので、それまで外で待つことにした。そのあいだ、モスクの前で晩メシを作る。

村人たちがふたり、三人とやってきて、間もなくぼくのまわりには十人ぐらいの人垣ができた。みんな好奇心に満ちた目をしていろんなことを聞いてくる。日々の特訓のおかげでペルシャ語もほんの片言なら話せるようになっていた。

ひとり、辞書を片手に一生懸命英語で話そうとする若者がいた。彼は人懐こい笑みを浮かべて「We Love You」と言った。

思わず顔がほころんでしまう。「Love」と「Like」を間違って使っているのだろう。しかしその言葉は、なんともいえず温かかった。

十時が近づくと、みんなモスクに入っていった。ぼくも誘われるがまま彼らについていく。村人たちはしばらく談笑していたが、やがて立ち上がり、一風変わった礼拝を始めた。

全員がすりこぎのような木の棒を持っている。その片方の先端には、複数の鎖が、まるでほうきのように束になってついている。年長の男がひとり、みんなの前に立ち、独特の調子で何かを唱えるように歌う。みんなその節に合わせて踊りながら、〝すりこぎ〟を振って、鎖の束を自分の肩に打ちつけている。

イスラムの礼拝というと、額を地面につけて深々とお辞儀するスタイルしか知らなかったので、これはじつに目新しかった。イスラム教とひと口にいってもいろんな宗派があり、国や地方によっても礼拝の仕方は違う。しかし、神の前で謙虚になって祈りを捧げる、という意味では、このときぼくが見ていたものも、地面に額をつける姿も、もっといえば教会で十字をきってひざまずく姿も大きな違いはなく、やはりそれは美しい光景に映った。

礼拝が終わると、数人の若者が、荷物をつけたままのぼくの自転車を持ち上げ、いままでみんなが礼拝していた部屋に運び入れた。「そんなことしていいの？」とぼくが驚きながら聞くと、若者たちは「何が問題なんだい？」といった顔で笑う。さらに管理人のようなおじさんは「好きに使えばいいから」と、モスクの入り口の鍵まで渡してくれた。みんな一様に温かい目をしていた。

英語の辞書を持っていた例の若者が、笑顔で言った。

「We Love You」

横にいた、彼の弟らしき少年も言った。

「We Love You」

それから次々と「We Love You」が村人から飛んできた。ぼくは思わず胸がつまった。

自分という一個の存在が、初めて認められ、受け入れられているような気がしたのだ。

彼らが去ったあと、ひとり、ぼんやりとモスクのなかを見つめた。温もりは、まるで残り香のようにぼくの体内を漂っていた。

54

## 笑わない少女——六年目・五月

イランから中央アジア方面に進路を取り、ウズベキスタンに入ったところで、シルクロードの要衝として栄えた古都ブハラを訪れた。

この町でひとりの少女と出会った。

「私の家に泊まらない？　二食付きで七ドルでいいよ」

旧市街の中心地、カラーン・モスクの前で声をかけてきたのが彼女だった。中央アジアでは自宅の一室を旅行者に提供し、収入を得ている人が少なくない。

「ごめん、もう別の宿に泊まっているんだ」

「そこはいくら？」

「六ドル」

「オーケイ、じゃあウチは五ドルにしてあげる」

まだあどけない子どもなのに、すっかり駆け引きが身についている。よく見ると端整な顔立ちだ。男の子のようなボブの前髪から、大きな目がのぞいている。その瞳にはどこか不思議な印象があった。

名前を聞くと、そんなことどうでもいいじゃん、とでも言いたげな表情で、サビナ、と答えた。歳は十歳。

しばらくしゃべっているうちに、やはりふつうの子どもじゃないな、と思った。ぼくが何かひと言口にするだけで、こっちの意図を的確にとらえ、明快な答えを返してくる。会話に淀みがない。ツーリストから聞いて覚えたという英語も相当なものだ。

だが、その反面、彼女には何かが欠けているような気がした。考えてみると、さっきから彼女はまったく笑っていない。はにかんだり驚いたりすることもない。およそ子どもらしさがないのだ。なんでも見抜くような、そのとび色がかった目は、感情を固く閉ざしているようだった。

そのうち彼女はぼくを放りだし、前を通りがかった白人ツーリストのもとへ走っていった。その男は「ノー」を連発し、並んで歩くサビナのほうを見ようともしない。第三世界を旅するとあちこちで見られる光景だが、このときはいやに心に引っかかった。

――彼女はいま、何を感じているのだろうか。

サビナは平然とした顔つきで戻ってきた。しばらくしゃべったあと、ぼくは彼女に「またね」と言って、その場を離れた。

ゆっくり流れてゆく街並みを眺めながら、あてもなく歩く。つくづくすてきな街だな、と思う。なんといっても色がいい。日干しレンガでできた家々と、あちこちにそびえ立つモスクの青いドーム、その淡い肌色と鮮やかなブルーのコントラストが、ぼくの目には非常に新鮮に映る。

街の各辻には五、六百年前に造られたドーム屋根の付いたバザール（市場）があり、そこではいまでも絨毯や民族衣装やさまざまな小物などが売られている。シルクロードを旅しているな、としみじみ実感するのだ。

ぼくは一泊だけだった予定を変え、気がすむまでこの街に滞在することにした。

日々、ただ足の向くままに小路を探検し、バザールを冷やかしながら歩いた。足が疲れると、茶店でチャイを飲み、異世界をぼんやり眺め、ときどき絵葉書を書く。

サビナは毎日、カラーン・モスクで客引きをしていたので、一日一度は必ず顔を合わせた。そのたびに軽い立ち話をする。

そのうち彼女のクールな態度が少しずつ変わってきた。ぼくが好意を持っていることが彼女にもわかったからだろう。とはいえ、相変わらずニコリともせず、ただ態度がなれなれしくなったというだけだが……。

ある日、モスクをスケッチしていると、彼女がやってきて絵をのぞき込んできた。ぼくはスケッチブックを閉じた。

「あー、ケチ！　見せてよ」

ぼくはニヤニヤ笑いながら、それを彼女に渡した。サビナはスケッチブックを開けると、

「うわー！」

と驚いて口を開けた。意外な反応だ。が、それに感心する間もなく、とんでもないことが起こった。彼女の開いた口から嚙んでいたガムがこぼれ、絵の上にペチャ。

「あああ！　コラ！」

「違う、違うよ！　わざとじゃないってば、ほんとだよ！」

ぼくはぶつ真似をしながら、珍しいものを見るような思いでサビナの表情を眺めていた。慌てふためき、大きく見開かれた目、必死の弁解——初めて、彼女から子どもらしさが顔をのぞかせたのだ。

ぼくはぷっと吹き出した。すると彼女はかつがれていたのに気づいたのか、きまりの悪そうな顔になり、それからすぐにいつもの冷めた表情とませた口調に戻った。

サビナはぼくの隣に座った。目の前には緻密な紋様が描かれたモスクの巨大な門がそびえ、夕日を浴びて金色に輝いている。それを眺めているうちにすっかり心を奪われ、束の間、隣にいる少女のことを忘れてしまった。

「いつまでブハラにいるの？」

サビナがそう聞いてきたとき、やっと我に返った。

「明日、出ようと思ってるんだ。もう五日いたからね」

少しは寂しがってくれているのかな、と期待して彼女を見たが、サビナは少しも表情を変えずに、「ふーん」と言っただけだった。

夕日のまばゆい光はサビナの頬や髪にも降りそそいでいた。金粉を振ったように、その小さな顔が淡く光っていた。

「君はきれいな女性になるよ」と言ったら、サビナはやはり素っ気なく、「ありがと」と答えただけだった。


翌朝、目が覚めてから、布団のなかで少し考えた。自分は本当にこれで満足しているのだろうか。この街を本当にきちんと見たといえるのだろうか。

夕日に映えるサビナの顔が浮かんだ。

「今日一日ぐらいええやないか……」

ぼくは再び目をつぶり、惰眠《だみん》をむさぼった。いつもこの調子だ。出ようとすると、名残惜《なごり》しさがつのってついつい腰が重くなる。こうして、三年半の予定だった旅が、もうすぐ六年になろうとしているのだ。「今日一日ぐらい」が二年半も積もったことになる。

起きてからは、顔なじみになった茶屋でチャイを飲み、そのあといつものようにあてもなく街をさまよった。夕方、カラーン・モスクに行ってみると、今日に限ってサビナがいない。ちょっと拍子抜けしてしまった。夕日に輝くモスクを、今日はひとりでぼんやり眺める。

日が暮れると、街はピンク色に染まり始めた。

「やっぱり、昨日がサヨナラだったのかな……」

ぼくは内心苦笑しながら、立ち上がった。

ところが、通りに出たところで、遠くのほうにサビナらしき少女が立っているのが見えた。母親のような女性と一緒にバスに乗り込もうとしている。

彼女はぼくに気づいた。次の瞬間、まったく予期しなかったことが起こった。

サビナはよく通る声で「ユースケ！」と叫んだ。そして、こぼれるような笑みを満面に浮かべ、両手を大きく振ってきたのである。

街を包むピンク色の空気はますます濃くなり、そのなかにサビナの笑顔が溶けていった。

長いあいだ探していた絵画にやっと出合えたような思いで、ぼくはその情景に見入った。

――これを見るために、今日は残ったんだな。

彼女を乗せたミニバスは、間もなく発進し、しばらくして角を曲がり、見えなくなった。ぼくは心底満たされた気分で、暗くなり始めた街を一歩ずつ、宿まで歩いて帰っていった。

55

## ナウシカの里で待っていた男――七年目・八月

カザフスタンから中国の西、ウイグル自治区に入る。

イタリアのローマから「シルクロード」に沿ってここまで走ってきた。それほど意識したわけでもないが、結果的にこの太古の交易路をなぞる形になっていたのだ。このまままっすぐ東へ走れば、あと二ヵ月でシルクロードの東の起点、西安《シーアン》に着き、さらにそこから一ヵ月で日本にたどり着くだろう。

しかし、ぼくはそのルートを逸れ、南へ向かうことにした。インドやネパールといった南アジアも見てみたくなったからである。濃厚なニオイがそっちの方角から漂ってくる。そこにどんなものがあるのか、のぞかないことには気がおさまらないのだ。

中国を一ヵ月走ると、パキスタンとの国境に着いた。ここの国境はヒマラヤの山々に囲まれた標高四八〇〇メートルの高い峠だ。昔は相当な難所だったようだが、いまではほぼ全面舗装になり、快適に走ることができる。

峠の頂上付近にある看板が見えたとき、体に震えが走り、ぼくはブレーキをかけた。

「GOOD BYE」と大きな字で書かれ、その下に「ZERO POINT」とある。

ゼロ地点——ここからパキスタンが始まる、ということだろう。

その看板は、これまで何度も何度も目にし、頭に焼きついているものだった。

バッグのなかから一枚の写真を出した。その写真には、目の前にある景色と同じものが写っている。そして看板の隣には、セイジさんが自転車とともに立っていた。彼のお母さんから、ぼくの実家を経由して送られてきた写真だ。

彼は三年前、たしかにここに立っていた。そしてここからチベットに向かい、二ヵ月後に雪に閉じ込められ、帰らぬ人となった。

ぼくはいつも隣に彼を感じながら走ってきた。自転車をこぎながら何度となく彼に話しかけてきたのだ。

看板の前で手を合わせて黙禱《もくとう》した。看板の向こう側には、藍色の空と、雪を被った一本の草木もない褐色の山々が茫洋《ぼうよう》と広がっていた。

峠を越えてパキスタンに入国し、坂を下っていくとフンザという地域に入る。人々から「桃源郷」と呼ばれているところだ。日本人旅行者のあいだでは、アニメ映画『風の谷のナウシカ』の舞台のモデルになった場所だともっぱら噂になっているが、実際来てみると雰囲気がまるで違う。誰かが勝手に言いだしたことがひとり歩きしている、といったところだろうか。

ただし「桃源郷」というもうひとつの呼び名にはぴったりのところだな、と思う。村は六、七〇〇〇メートル級の、のこぎりの刃のようなギザギザした山に四方を囲まれ、幻想的な雰囲気に包まれている。

その景色に見とれながらペダルをこいでいると、右手のほうから、「ウギャーッ」と大きな声が上がった。見ると数人の若者が大騒ぎしながら〝かっぽれ〟を踊っている。とくにそのなかのひとりが目についた。長髪で、真っ黒な顔をして、いかにもむさ苦しい男だ。その彼がこっちに向かって何か叫んでいる。げっ、いやなタイプ、相手にしないでおこう、と思った次の瞬間、「ユースケ！」という声。

「え？」

よく見ると、みんな日本人みたいだ。真っ黒な顔の男は……キヨタくんではないか！

「ウオーッ！」

ぼくも相手に負けず劣らずおかしな声を上げ、そっちのほうにハンドルを向けた。するとキヨタくんが叫んだ。

「ちょっと待って！」

そこにいた日本人六人は、うしろに立っているゲストハウスに飛び込んだ。しばらくして現れた彼らを見て、ぼくは唖然とし、次に思いっきり吹き出してしまった。キヨタくんをはじめ、四人がナウシカの青い衣装を着ているのだ。

キヨタくんは、ぼくが中国からフンザに走ってくるのを旅人づてに聞いたらしい。じゃあ、盛大に迎えてやろう、ということになり、ぼくを知らない旅行者まで巻き込んで「ナウシカ隊」を結成した。そして宿にあったナウシカのコミック本を仕立て屋に持っていき、「これと同じのを作ってちょうだい、胸のマークが大事だからね」と注文し、この日を待っていたというのだ。みんなが問わず語りに説明してくれるそれらの話にぼくは笑いっぱなしだった。

なかでもシビれたのが、キヨタくんがナウシカ隊のメンバーにもらしたという台詞だ。彼は注文した衣装を待っているあいだ、至極まじめな顔でこう言ったらしい。

「俺、ナウシカになれるかなあ……」

筋肉質な体のおかげで衣装がパンパンにふくらみ、ホームレスのオッサンのようなヒゲを生やし、顔は真っ黒、そしてがに股。目の前にいるナウシカは、申し訳ないけど、ぼくのナウシカのイメージとは若干違った。

## 56 テロにまつわるてんやわんや――七年目・九月

フンザ周辺にはトレッキングルートがたくさんある。ぼくは宿に自転車を置いて、キヨタくんと一緒にあちこちの山を歩きまわっていた。

そんなある日、アメリカの二本のビルに飛行機がつっ込んだ。

ぼくのいた宿は一泊一ベッド約七十円、南京虫つき、という安宿で、世界を放浪する旅人たちの巣窟《そうくつ》となっている。そんな宿にテレビなどはもちろんなく、とにかくとんでもないことが起こった、という噂だけが広まった。ぼくは数人の旅人たちと、村に一軒だけある立派なホテルのロビーに侵入して、あの衝撃的な映像を見た。村の空気は相変わらずのんびりしており、騒動に揺れる世界からはかけ離れたところにいるという感じがした。

ところが間もなく、旅人たちは慌てふためくことになる。米軍がパキスタンにおしよせ、この国がアフガニスタン攻撃の拠点になるらしいと報道され始めたからだ。それにあわせてパキスタン国内でデモや暴動が広がっていった。

みんな決断を迫られた。宿のなかは一種のパニック状態になり、早々とインドや中国へ脱出しようとする者が大半だった。ぼくとキヨタくんは「もう少し様子を見る派」で、フンザに残った。各宿のオーナーたちは「ノープロブレム」を連発し、次々に出ていく旅人を必死で引き止めようとしていたが、その姿は見ていて少し痛々しかった。

テロから五日後、午前中、中国に向かって出発した旅人が「国境が閉まってた！」と言って夜遅く戻ってきたときは宿じゅうが大混乱となり、楽観組も態度を改めざるをえなくなった。パキスタンから陸路で出国するルートは、中国以外にイランとインドが残されている。しかしそのふたつが閉まれば行き場がなくなり、この国にとじ込められてしまうのだ。

ぼくとキヨタくんは、やむをえずバスに乗ってインドへ脱出することにした。本当は一緒にインドまで走る予定だったのだが、この状況ではあきらめるほかない。

長距離バスは、フンザから一二〇キロ南のギルギットから出ている。そのギルギットまで、ローカルのミニバスで行くか、自転車で走るかで、ふたりの意見はわかれた。山の景色を見たいので、ぼくはせめてこの区間だけでも走りたかった。しかしキヨタくんは、ミニバスで行く、と言う。彼は以前にそこを走ってもいたし、それにペアランが中止になった時点で、自転車への執着がすっかり失われてしまったようだ。

彼の乗るミニバスは宿から三キロほど離れた停留所から出るので、そこまでは一緒に自転車で走ることになった。

朝、宿のじいさんに見送られ、ぼくとキヨタくんは自転車をこぎだした。

一ヵ月ぶりのサイクリングである。走り始めると景色が音もなく流れ、山の空気が肌をなでていった。やっぱり自転車は気持ちがいいな、としみじみ感じて、うしろを振り返った。するとと、同じように晴れやかな表情になっているキヨタくんと目が合った。

「あ……」

急にとてつもなく懐かしい気分に包まれた。おかしなものだが、最初ここで彼に再会したときは、久しぶりだという感じがほとんどしなかったのだ。しかし、一緒に自転車で走りだして、うしろにいる彼を見たとたん、過去の情景が脳裏に広がり、体の奥がじわじわと温かくなってきたのである。

カナダやメキシコ、そして南米でペアランをしたとき、いつもぼくが前を走り、振り返ると彼の笑顔があった。そのころの空気が、ふいにぼくたちを包んだ。世のなかの流れから抜けだし、自転車がふたりだけの時間を刻み始めたようだった。

「ああー」と、キヨタくんが間延びした声を出した。「もういいや、ギルギットまで走ろう」ヒマラヤの雄大な景色がゆっくりと流れていった。ぼくたちが過ごしている時間も、ぼくたちが息をしているこの空間も、戦争からはあまりにも遠かった。

57

## インド・バラナシにて——七年目・十月

長距離バスを乗り継いで、ぼくたちは無事、インドとの国境の町、ラホールまでたどり着いた。ここもまた、パキスタンのほかの都市と同様、空港や官庁のあるエリアは軍用車や自動小銃を抱えた兵士がいて緊迫したムードに包まれていたが、それ以外の場所はいたって平穏だった。インドとの国境もしばらくのあいだは閉まる気配はなさそうだ。慌ててここまでやってきたことが、なんだかバカバカしくなった。

インドに入国する前にもう一日ラホールでのんびりし、町を観光することにした。ムガール帝国の宮廷が置かれたこの古都には、見どころがたくさんあるのだ。

夕方、高台にあるモスクの窓から顔を出すと、異様なものが見えた。オレンジ色に染まった空に黒い点が無数についている。一瞬、鳥の群れかと思ったが、よく目を凝らすと、

「‼」

なんと凧《たこ》だった。

いったいどれだけ揚がっているのだろう。下に目をやると、家という家の屋上で大人と子どもが楽しそうな表情を浮かべ、凧を操っている。町じゅうがお祭りか何かにわきかえり、人々がいっせいに凧を飛ばしているような風情だった。

オレンジ色の空についた無数の点を、ぼくは複雑な思いで眺めた。のどかで、どことなくユーモラスで、そして空恐ろしい光景だった。ひょっとすると大きな戦争にまき込まれるかもしれないこの場所で、人々はふだんと変わらず、無邪気に凧を飛ばしているのだ。

昔からインドとの争いが絶えなかったこの国境の町では、今回の事件で米軍機がたくさん入ってこようと、あちこちで暴動が起ころうと、市民の生活にはほとんどなんの変化も緊張感も及ぼさない、ということだろうか。

それぞれ進む方向が違うため、キヨタくんとはこの町で別れることになった。彼と旅先で会うのも、とうとうこれが最後になりそうだ。キヨタくんはあと三ヵ月で旅を終えるらしい。ぼくは、まだ、少しかかりそうだ。

「じゃ、次は日本だな」

別れる前に、ぼくたちはいつものように握手をした。最初に会ったころと比べて、キヨタくんの目じりにずいぶんシワが増えている。ぼくも似たようなものだろう。

旅に出て六年。おかしなものだが、ふだんはその長さをまったく感じない。おそらく、時間の長さや重さを実感できるのはせいぜい一年までで、それ以降は二年旅しても十年旅しても、同じなのだ。振り返ると、いつも〝あっという間〟なのである。

しかし、彼の目じりのシワを見て、ぼくはおそらく初めて、自分の過ごしてきた時間を〝長かった〟と感じた。そしてこれまでにない寂しさに包まれながら、彼と別れたのである。


国境を越えてインドに入ると、アメリカのテロによる変化は微塵《みじん》も感じられなくなった。車や人の喧騒が街にうずまき、牛が道路を闊歩し、自転車タクシーのリキシャがジャリンジャリンとベルを鳴らしながら走りまわっている。インドにはインドの時間が大河のように淀みなく流れているようだった。

ところが東へ東へと進み、ヒンドゥー教の聖地バラナシに着くと、その郊外でとんでもないものを見た。巨大なビルの張りぼてが二本立っており、そのひとつに飛行機の模型が突き刺さっている。機体には「United Airline」のロゴ……。

すさまじいブラックユーモアである。張りぼてといっても、ふつうのビルの二階くらいの高さはあるのだ。

　これはいったいなんなのか？　扇動目的のモニュメントだろうか。バラナシにもモスクはあり、イスラム教徒はたくさん住んでいる。

　しかし、例のテロからまだ一ヵ月しかたっていないのだ。張りぼての大きさから考えても、テロのあとすぐに作り始めたに違いない。彼らをそこまで動かすエネルギーはいったいなんなんだろう？

　一見、度を超えた悪ふざけにしか見えない張りぼてに苦笑しつつ、しかしそのエネルギーの源に思いを巡らせているうちに、体の奥に気だるいものを覚えずにはいられなかったのである。


　それを過ぎて、バラナシの旧市街のほうに行くと、ガラリと世界が変わった。古めかしい建物がゴチャゴチャと密集し、細い路地が複雑に入り組んでいる。どことなく空気がひんやりする。人々の流れが少しスローになったように見えるが、気のせいだろうか。チリンチリンと鐘の音がそこらじゅうで鳴っている。

　ふいに、ガンジス河に出た。それは不思議な見え方をした。全体が白っぽくぼやけている。深緑に濁った水も、対岸の広い河原も、その向こうの森も。目で見ているというより、心に映っているという感じだ。ぼくは堤に立ちつくし、長いあいだ河を見ていた。

多くの旅人の例にもれず、ぼくもバラナシの引力に呑み込まれ、長く滞在することになった。毎日、迷路のような路地をあてもなく散歩し、チャイを飲んで人を眺め、ガンジス河を眺めた。

聖地特有の清澄な空気のなかを、人々が行きかい、犬や猿や牛がうろうろ歩きまわっている。火葬場では毎日人の体が炎に包まれ、白い煙を放ち、黒くこげていく。ガート（河岸に敷かれた階段状の堤）では人々が日がな一日何もせずにボケーッと座っている。そんな世界で、気ままな日々を過ごしていると、いろんなことがどうでもよくなり、自分の存在が軽くなっていくようだった。

ヒンドゥー教の聖地であるこの町が、最も印象深いシーンを見せるのは、なんといっても朝だ。ガンジス河の対岸の森から朝日が昇るころ、ガートは沐浴《もくよく》する人であふれかえる。キラキラ光るチリが空気中にたちこめ、河も人もソフトフィルターをかけたようにぼんやりとかすみ、鐘の音がひときわたくさん鳴り響く。おごそかで、どこか温かい雰囲気だ。

沐浴には、聖なる河で体を洗い浄める、という意味がある。しかしその一方で、人々はこの河で毎日洗濯し、排泄し、あらゆる死体を流す。ガートを歩いていて、人の死体が浮かんでいるのを見るのはそう珍しいことじゃない。そんな水に浸かるなんてとんでもないと思っていたが、この町に何日もいるうちに、そんなこともどうでもよくなってきた。神そのものとして崇《あが》められているこの河に、入らないことのほうが不自然にさえ思えてきた。

ぼくはある朝、インド人たちにまじって沐浴をしてみた。

水は冷たくて気持ちよかった。人々の上げる水音、話し声、笑い声、それらのまじったやわらかい喧騒が、朝の澄んだ空気に溶けていく。朝日が正面に浮かび、川面《かわも》は白い光で満たされていた。

ぼくはインド人たちと同じように胸まで河に浸かり、そして、朝日に向かって手を合わせた。顔じゅうに白い光を浴びた。体が透き通っていくような感覚だった。何かを祈ろうとした。でも、何も出てこなかった。考えても、自分の求めるものが見つからなかった。いま、ぼくには欲しいものは何もないのだ。それなら……。

──世界が平和でありますように。

それからすぐ我に返り、不思議な気分になった。自分や、自分に関わる人たち以外のことを祈ったのは、生まれて初めてだったのである。

この日以来、毎日河で沐浴をするようになった。信心でも、理屈でもなく、とにかく気持ちよかったからだ。

58
## アンコールワットはティカルを超えるか？——七年目・三月

ネパールからは飛行機でタイのバンコクに飛んだ。そのあいだにはミャンマーという国があるのだが、軍事政権が閉鎖的な政策をとっているため、陸路で国境は越えられないのだ。

バンコクに着いたときはすでに暗かった。暦の上では一応真冬だが、じっとりと蒸し暑く、空気が重い。

知らない大都市の夜道を走る気にはなれなかったので、空港からのバスに自転車を積んで町に向かった。

しばらく行くと、未来都市のような光景が窓の外に浮かんだ。高層ビルの群れが針のように建ち並び、高架道路がいくつも空を走っている。予想外の発展ぶりに驚いていると、突然ゾッとするものが視界に入った。なんと「ファミリーマート」だ。

信じられない思いで眺めていると、「セブン・イレブン」が現れた。やがて「ＩＳＥＴＡＮ」のネオンサインが見え、「サントリーウイスキー」の巨大な看板が流れていった。

ぼくは自分でも予期しなかったほどに動揺した。旅に出て以来、初めて日本を間近に感じたのだ。もうすぐ旅は終わるのだ、と思った。いや、正確にいえば「もう終わった」という気分だった。

バンコクに飛んだのはチケットが安かったからである。自転車のスタート地点はシンガポールと決めていたので、そこまでバスを乗り継いで行った。

地図で見ると、シンガポールはユーラシア大陸の最も南にある。そこから自転車で北上し、日本を目指せば、タイヤのわだちは世界地図の形により近くなる。

なかなかいいアイデアだと思ったのだが、しかしシンガポールからマレーシア、タイと走っていても、いまひとつ気分が盛り上がらなかった。〝動く歩道〟に乗っているように、ただ日本に向かっているだけのような感じがした。

ひなびた田園地帯を走りながら、ぼくはことあるごとにアフリカの日々を懐かしく振り返るようになっていた。日本が近づくにつれ、気持ちはますます日本から遠ざかっていくようである。

旅の昂揚感が再び戻ってきたのは、カンボジアの「アンコールワット」が近づいてきたときだった。

六年前にティカルに会ってからというもの、心のどこかでティカル以上の遺跡を探すようになっていた。どの遺跡を見ても、知らず知らずのうちにティカルと比較していた。ナンセンスなことだとはわかっている。しかし、世界一のものを見たいというのはじつに素朴な気持ちで、単純に、あの感動を上回るものがあれば、ぜひこの目で見てみたいと思うのだ。

満月のピラミッドは夢のようだったし、シリアにあるパルミラ遺跡にも恍惚となった。ほかにもたくさんの遺跡を見たが、しかし横綱ティカルにはあと一歩及ばず、といったところだった。

ティカルを超えるものがあるとしたらアンコールワットだろう――ぼくは長いあいだそう思いながら走ってきたのだ。

ちなみに、ここは「アンコール遺跡」と呼ばれる巨大な遺跡群で、ジャングルのあちこちに大小八十もの寺院がたたずんでいる。アンコールワットはそのなかのひとつだ。

入場ゲートをくぐり、期待を胸にふくらませながら自転車をこいでいくと、早速、真打ちアンコールワットが登場した。

「ほう……」

つくしの頭のような塔が五つ、堀の向こうにそびえたつ様子は噂どおり神秘的だ。しかし、いかんせん人が多すぎる。遺跡自体も近くで見ると、修復、整備がされすぎていて、どこか作りものっぽい。

だが、そのあとがすばらしかった。

アンコールワットを過ぎて自転車を奥へ奥へとこぎ進めていくと、ジャングルのなかから次々に巨大な建築物が現れる。どれもこれも露骨な修復はされておらず、あちこちが崩れ、草や木が石の隙間から生えている。湿っぽい草いきれのなかで、遺跡たちは静寂に包まれ、重々しいオーラを漂わせていた。ぼくは探検家のような気分でジャングルを突き進み、遺跡が出てくるたびにため息をもらした。

なかでも「バイヨン」は圧巻だった。木立の向こうにそれが見えたときは、あまりの大きさと、その異様な雰囲気に思わず生唾を呑んだ。無数の隕石《いんせき》が一ヵ所に集中して降り注ぎ、積み重なってできた山といった感じだ。天界の中心を表すために造られた八百年前の寺院ということだが、それだけのオーラはたしかにある。

遺跡のなかに入ると、さらに摩訶不思議な世界が広がっていた。高さ約二メートルという巨大な人面像が、墓石の群れのように、無数に立ち並んでいる。観世菩薩の像ということらしい。どの像も一様にやわらかい微笑をたたえている。それらに囲まれて座っていると、徐々に体の力が抜け、心のなかが静まっていくようだった。無意識のうちに瞑想状態に入っていくような感覚だ。ぼくは長いあいだその状態に身を任せ、ぼんやり石像を眺めていた。

このとき、あらためて思った。

おそらく、ティカルを見たときの、あの感動を上回るものはこれからも出てこないだろう、と。あれは圧倒的だった。そして、〝思い出〟はいつも現実を離れ、どんどん美化されていく。現実のものがそれを上回るというのは、土台無理な話なのだ。このアンコール遺跡でさえも、ティカルの〝思い出〟を超えることはできない。

ただ、これまで遺跡を見るたびに抱いていた、〝もう一歩〟という物足りなさを、ここではまるで感じなかった。圧倒的なものを超えることはなくても、しかし同等に〝圧倒的〟であれば、もはや比べる必要はない。


ところでこの数時間前に、じつはひとつの発見があった。実際、発見と呼べるものなのかどうかはわからないが、少なくともぼくにとっては肝をつぶすようなできごとだった。

バイヨンの近くに、森の奥へと続く細い小道があった。その道を入っていくと、木立の向こうに小さなピラミッドが現れた。人気のない、地味な遺跡だったが、それが目に入った瞬間、頭が真っ白になった。

そのピラミッドは、あろうことか、ティカルと酷似していたのだ。階段状の基部や頂上の飾り屋根など、どれをとってもティカルとそっくりだった。同じようなピラミッドは、それからも複数出てきた。

これは果たして偶然なのだろうか、あるいは、ふたつの文明が太平洋をはさんで通じ合っていたということなのだろうか。どちらだとしてもロマンのようなものを感じずにはいられなかった。想像を広げているうちに、世界がますます痛快に思えてきた。

それにしても、旅の最後にティカルそっくりのピラミッドに出会うというのも妙な縁だ。世界をグルッと回って、スタート地点に帰ってきたような気分にもなるのである。

59

## 生きている実感——八年目・七月

ベトナムから中国に入り、山水画で有名な桂林に着いた。ボート下りをしてその神秘世界に酔ったあと、さあ、どうしようか、と地図を眺めた。

このまま北上すれば、あと二ヵ月ぐらいで上海、韓国を経て、日本に着いてしまう。

しかしフィナーレを迎える気分ではなかった。このあたり、中国の南部の森や田園風景は、日本や東南アジアのものと大差なく、目新しいものはない。日々、新鮮な感動がなく、ただ漫然と自転車をこいでいるだけだ。

——こんな風に七年の旅を終えていいのだろうか？

ぼくはこれまで、ずっとひとつのシーンを胸に抱えて旅をしてきた。思い出すたびに体の奥が熱くなる、特別なシーン——西アフリカのギニアで見た、あの青い森である。

あのときは何日も微熱と下痢が続き、シャワーも長いあいだ浴びず、ボロボロの状態で走っていた。何も考えられなかった。そんなときに見たあの青い森は、この旅のひとつの頂点だったような気がする。あの強烈な手ごたえを、旅の最後にもう一度味わいたい。

ぼくの頭のなかにはシルクロードがあった。ローマからずっとこの道に沿って走ってきたのだが、中国に入ってから南下したのでそのルートからは外れていた。ここ桂林から飛行機でウイグル自治区に戻り、そこから東に向かって日本を目指せば、この歴史的な道を完走することができる。

それにこのルートだと、大半は人気のない砂漠のなかを走ることになる。旅の最後にガムシャラになって自転車をこぐというイメージにはぴったりの場所だ。

だが、このルート変更には問題も多かった。

ぼくは四年前、ドイツで気管支炎を患《わずら》っている。それがいまでは慢性化し、ホコリっぽいところを走るとぶり返すのだ。シルクロードの砂漠地帯が病気にいいわけはない。

それに、ここ桂林からまっすぐ日本を目指せば、あと二五〇〇キロでゴールできるのに対し、シルクロードのルートだと日本まではあと約六〇〇〇キロ。ゴール目前に距離を二倍以上にのばすのは、さすがにちょっと苦痛である。

問題はまだある。ウイグル自治区の区都ウルムチへの飛行機代は二千十元、日本円にして約三万円だ。これはいつも食べているワンタンメン千杯分の値段で、いまのぼくには目の飛び出るような高さである。ついでにもうひとついえば、シルクロードはいま酷暑期で、日中の気温が五十度近くにまで達する。

高い金を払って、距離を二倍以上にのばし、灼熱地獄に飛び込む。そんなバカバカしい話もない。

「もうこれだけ走ってきたんやから、ええやないか……」

ぼくの怠け根性がそうささやきかけてくる。

しかし、そもそも、快適で楽しいだけの旅行をしたいのなら、最初から自転車なんかで行かなければいいのだ。大きな手ごたえをつかみたかったから、この旅を始めたんじゃなかったのか？

「むむむ……」

ぼくはあれこれ考えるのをやめた。そして最後はいつもの判断基準――後悔しないほうをとる――に従い、ワンタンメン千杯分のチケットを「えいやっ」と購入したのである。

ウルムチ空港に降りると、砂漠気候の乾いた空気が肌をなでた。その肌触りを懐かしく感じた。これまでいた東南アジアや中国南部のジメジメした空気とはまるで違う。

ウルムチを出ると、すぐに未舗装の悪路になり、それが三日間続いた。このとき砂ぼこりを吸い続けたせいで、心配していたとおりの事態が起こった。気管支炎の再発である。

「まったく、思ったとおりやないか。ゴホッゴホッ。だからやめとこうって……ゴホッゴホッゴホッゴホッ！」

咳は止まらないわタンはからむわ散々である。咳きこみながら自転車をこぐほどつらいものはない。体力が無駄に奪われ、体がどんどん重くなっていく。


そんなある日のことだ。

灼熱の砂漠の上を嵐のような向かい風が吹き荒れ、自転車は歩くより遅いスピードしか出なかった。次の村までは一四〇キロ。その距離を考えて、水を十リットル積んだのだが、向かい風は計算に入れていなかった。距離がのびないうえに熱風で喉がひりつくため、どれだけ水を飲んでも飲んだそばから渇きに襲われる。ボトルの水が恐ろしい速さで減っていく。

――次の村まで水が持たないんじゃないか？

朦朧とした頭で、そう思った。最悪の場合、車に助けてもらえばいいが、それだけはなんとしても避けたい。

前から一台の軽トラがやってきて、陽気にクラクションを鳴らしながら通り過ぎていく。ぼくはそれに手を振って応える余裕もなく、下を向いたまま自転車をふらふらとこぎ続けた。しばらくして、うしろからエンジン音が聞こえてきたかと思うと、一台の車がぼくを抜かしていった。よく見るとさっきの軽トラだ。Uターンして戻ってきたらしい。

軽トラは前方でとまり、なかから四人の男女が降りてきた。どうやら家族のようだ。彼らの前で自転車をとめると、おじさんがニッコリ笑ってぼくにコーラを渡してきた。

「ハイ・シー・ビンダ《まだ冷えてるよ》」

その温かい目を見た瞬間、体じゅうの力が抜け、その場に崩れそうになった。ぼくはそれをこらえ、ありったけの気持ちをこめて、「謝謝《ありがとう》」と言おうとした。だが、かすれたような音が呼吸音にまじるだけで、まったく声にならないのだ。長時間、熱風を浴び続け、いつの間にか声帯がつぶれていたらしい。ぼくは他人事《ひとごと》のように驚いてしまった。おじさんは再び微笑み、娘さんに、「水もあっただろ」と言って車に取りにいかせた。彼女もまた、持ってきたミネラルウォーターのボトルをぼくに差し出しながら、やさしい目をして笑った。ぼくは「謝謝」と言う代わりに、みんなに握手してまわった。

彼らが去ってから、まだかすかに冷たいミネラルウォーターを一気に飲んだ。光がキラキラと体のなかに広がっていくようだった。水ってこんなに甘いものだったのか……。

急に手足がガクガク震え始めた。力が抜け、地べたに崩れ落ちるように座り込んだ。ぼくは震えの止まらない両ひざを抱え、そのなかに顔をうずめた。なんだか猛烈に泣きたいような気持ちだった。

これまで、いったいどれだけのやさしさを受けてきたのだろう……。

くたびれきった頭のなかを、さまざまなシーンがよぎっていった。

みんな、なぜそこまで他人にやさしくできるのだろうか。通りすがりの旅行者など、放っておくことだってできたのだ。それなのに立ち止まって、手をさしのべてくれた。

そして、ぼくはそれを何度も受け取ってきた。さしのべられた手に、自らの手をのばして、彼らの善意を受け取ってきた。

そのことに、なぜ、こんなにやりきれなさが募ってくるのだろうか。

人の親切を受け取るだけ受け取って、ここまでやってきた。最後の最後まで人の厚意に甘えっぱなしだった。そして、いい旅だったと勝手なことを思っている。

旅に出れば、必ず現地の人のやさしさに触れる。それを〝旅の美談〟として歓迎し、きれいな思い出として自分の記憶のなかにしまう。それだけで満足しているんじゃないか。

――ぼくは、ひとりで、どこか得意になってはいないだろうか？

いま、自分がここにいることを当たり前に思ってはいけない。すべての偶然と僥倖と、数々の大きな心に支えられて、自分はここにいるということを肝に銘じておかなければならない。そして、そのことをいつも顧みなければならない。

これまで与えられてきた慈しみを、瞳の色を、いつも心に留め、あるいはこれから自分がささくれだつような瞬間があれば、それらを振り返って立ち止まり、そしてこれから自分も返していくのだ……。

その日は夕暮れどきに見つけた廃鉱のそばにキャンプすることにした。テントを張るのも億劫なほど疲弊しきっており、体力が回復するまで砂の上に横になっていた。

砂漠に沈む夕日が赤々と燃え、大地や廃屋を染め上げた。光が失われていく様子を見ながら、ぼくはそのまま寝転がっていた。

背後の丘から何かの足音が聞こえた。びっくりしてそっちを見ると、思わず目をむいた。なんと、鹿である。大きな体と角がシルエットになって、暗がりのなかにぼんやりと浮かんでいる。ぼくは半身を起こした。

鹿はぼくに気づいた。ぼくたちはじっと見つめ合った。ぼくが静かに腰を浮かすと、鹿は突然きびすを返して軽快に二、三度飛び跳ね、丘の向こうに消えた。

夢でも見ていたのだろうか、と思った。乾いたコケのような草はまばらに生えているが、まったく人を寄せつけない、不毛の砂漠である。そんなところに鹿がいるなんて……。

ぼくは再び大地の上に横になり、ちらほら出てきた星をしばらく眺めていた。ひどく満ち足りたような気分だった。


次の日は向かい風もだいぶやわらいでいた。相変わらず体は疲弊しきっていたが、もはや苦痛も感じなくなっている。ボロきれのようになって、ふらふら漂泊している自分の姿が、どこかおかしかった。

長い上り坂があった。

地面のほうに顔を向け、大粒の汗をポタポタと下に落としながら、一歩一歩踏みしめるようにペダルをまわしていく。

ふと、顔を上げると、まっすぐのびる坂の向こうに、白い朝日があった。自分が東に向かっているということを、そのとき新鮮な気持ちで知った。この光の先には日本がある。自分はいま、日本に向かっているのだ。そのことに思いがけず感動し、光の方向を見つめた。

彼のことを思った。

これまで、ことあるごとに心のなかで彼に話しかけてきた。ひとり旅が長くなると独り言が多くなるものだが、ぼくには常に話し相手がいたのだ。

白い光を顔に浴びながら、もうすぐ帰るよ、と心のなかで彼につぶやいた。

頂上に出ると、視界が一気に開けた。

眼下に、茫洋とした広大な大地が広がっていた。まさしく海のような広がり方だった。ゆるやかな下り坂が、地平線に向かって、まっすぐのびていた。すがすがしい風が体に吹きつけた。

ぼくは左手でハンドルを持ったまま、右手を離した。そして、風を受け止めるように、その右腕を水平にのばして、坂を下っていった。

そうしているうちに、この旅で起こったさまざまなシーンが頭のなかを巡っていった。いつもは感じないような、気の遠くなるような七年間の長い道のりが、ぼくの後方にのびていった。

ガンジス河の白い光があった。サビナの子どもらしい笑顔があった。ネルディンの美しい笑顔があった。草原を優雅に走るキリンの姿があった。ギシギシと音を鳴らしながら自転車でついてくるバオバオのはにかんだ顔があった。涙を浮かべたタイシアのあどけない表情があった。延々と続くアンデスの坂があった。ジャングルの海に浮かぶ白いピラミッドがあった。色を変えていく巨大な赤い岩があった。海流のように流れるユーコン河があった。ランプの明かりに浮かぶ老カヌーイストの笑顔があった。夜空に揺れるオーロラがあった……。

そして、ともに走り、同じ時間を生きた仲間たち――キヨタくん、ジム、シンジ、タケシ、アサノ、ジュン……。


セイジさん……。


ぼくは荒野の海に、ひとり、ポツンといた。下り坂は依然として続いており、自転車はゆっくり進んでいた。

彼はどこにいるんだろう――。ふいに、その思いが頭をよぎった。これまで何度も問いかけ、考えてきたことだ。彼がいるところと、ぼくがいるところには、いったいどれだけの隔たりがあるというのだろう……。

地平線ははるか彼方にあった。それはいっこうに近づいてこなかった。真空のなかにいるように、自分がたったひとり、荒野の真ん中でポツンと止まっているような気がした。

たぶん、隔たりなんかないのだ。

いつだって、それはすぐそばにあるのだ。

ペルーの強盗たちから銃を腹に押し当てられたとき、それはすぐ目の前に広がっていた。男の指が数センチ動いただけで、ぼくはすぐにそこに行けたのだ。いつだってそれと背中合わせに生きているのだ。

そう、だから、彼がいるところと、ぼくのいるところに隔たりなんかない。だったら……。

そこにいるんだったら……。

声を……。

茫然となったまま、何かに誘われるように横を向いた。

水平にのばした右腕の向こうを、褐色の荒野がスローモーションのように流れていた。はるか遠くの大地がゆっくりと、ぼくの手の指の向こうを流れていた。自分だけが静止し、地球全体が動いているようだった。

——生きているのだ。

この地球の上で、ポツンとだけど、くっきりと生きているのだ。

体の奥から何かが突き上げてきた。熱いものが一気にふくれあがり、体じゅうが震え、砕けそうになった。のばしたままの右手のこぶしを強く握りしめた。一瞬、目の前が真っ白になり何も見えなくなった。

それから気がつくと、にじんでぼやけた視界のなかで、さっきと同じように褐色の大地がゆっくりと流れていた。

それは不思議な光景だった。

生きていることが見えているようだった。

生きていることが奇跡のように見えているのだった。それを見つめているうちに、ぼくは祈るように一途な気持ちで、そのことに感謝した。

与えられた時間を、精一杯生きようと思った。

# エピローグ

シルクロード終点の都市、西安に着くころには暑さもやわらいでいた。

そこから北上して北京に着いたときは木々が鮮やかな黄色に色づいており、天津から船で韓国の仁川《インチョン》に渡ったときは息が白くなっていた。

仁川からはソウルを経て韓国を縦断する形で走り、釜山から下関行きの船に乗った。

そうして、ぼくは七年と四ヵ月ぶりに日本の地を踏んだ。

下関からは、和歌山の実家まで、友人知人を訪ねながら二ヵ月かけてゆっくり走ったが、最後は淡々としたものだった。もちろん、懐かしい顔や景色に会うたびに気持ちが大きく揺れ動くのだが、ここに書くべきことはとくにない。

ただ、日本を走りながら、折にふれ、不思議な気持ちになった。

七年前、関西空港から出発するとき、もしかしたら帰ってこられないかもしれない、と思った。もともとぼくは変なところで悲観的だし、占いババアのお告げや出発前の血尿は不吉な未来しか想像させなかった。だから「死んでもええわい」と、ヤケクソな気分になるしかなかった。

しかし、無事に帰ってきた。

自転車世界一周という旅は、出発前こそ大冒険だと思っていたが、いざ始めてみるとその印象はしだいに消えていった。自転車という移動手段を使った旅行にすぎないと、ぼく自身はとらえるようになった（もっとも、走るルートや季節によっては冒険にもなりうるのだけれど）。

どこに行ってもチャリダーは見かけたし、世界一周をやっている人も数えきれないくらいたくさんいる。旅をとりまく環境は昔とは大きく変わり、インターネットによって情報があふれ、世界じゅうの道は整備が進み、旅はどんどんしやすくなっている。だからいま考えると、出発前のぼくの意気込みは少し大げさだったかもしれない。

ただ、不吉なイメージを覆して、生きて帰ってきたことは、ぼくにとってとても意味のあることだった。自分という存在の根底に、大きな〝力〟が築かれたような感覚がある。それは、エジプトの砂漠で、ベドウィンの男たちが去ったあと、どうしようもない疲弊を押しきって動けたような力だ。

悪いことはなぜか重なっておしよせてくるものだが、その悪循環からどうやって抜け出すかは、この力にかかってくるように思う。その力が、経験という大きな〝財産〟を通してつちかわれた。

財産――。

そう、まさにぼくは膨大な時間を使って、金貨のような財産をコツコツ貯めてきたのだ。旅を振り返るとき、ぼくのなかには、数多くのシーンが浮かびあがる。アルベルトのことを思うと、いまでも、途方もない距離を飛び越え、暖炉のパチパチという音が聞こえてきそうな気がする。エイコさんの「生きててよかった」という言葉を思うと、体の底から力がわいてくる。キノコ売りのじいさんの毅然《きぜん》とした目はぼくの姿勢を正してくれ、モザンビークの市場でトマトをくれたオバサンの目を思い出すと、深い慈しみが心に生まれる。挙げだすとまったくきりがない。

これから、どういう形で、受け取る側から与えていく側にまわるのか。もちろん、そのふたつは同時にかわされていくものだろうけど、ぼくなりにいろいろ考えていこうと思う。

一番スゴイものを見たくて、感じたくて、旅をしてきた。それは、自分が生きてきた手ごたえのようなものだ。有名な景勝地や歴史ある大聖堂でもなく、自分の記憶に焼きつき、燦然と輝きを放ち、振り返るごとに体内から熱くしてくれるシーン――それは、ギニアの青い森や、シルクロードの流れる褐色の大地。

それらのシーンは、いつだってぼくを奮い立たせてくれている。

# あとがき

七年半の旅を一冊にまとめる、という作業は、思った以上に困難を極め、身を削るような思いで数々の話をカットしました。ここに載せたものは旅のごく一部です。本書だけでは伝えきれなかった思いやエピソードがまだたくさんありますので、機会があればそちらもいつか書いてみたいと思っています。

同じく、この本に出てくる人物も、ぼくが関わってきた人々のなかのごくひと握りの人たちです。紹介できなかったみなさん、この場を借りてお詫び申し上げます。

セイジさんのことを書くにあたっては本当に悩みました。彼という存在、そしてあの事件は、ぼくにとってとてつもなく大きなことなので、自分のなかにしまっておくべきだ、という思いがありました。でもその一方で、大きすぎるがゆえに、書かないで通り過ぎるのはあまりにも不自然な気がしましたし、彼が力いっぱい生きていた証を何かの形で残すことは意味があるんじゃないか、という考えもありました。それは手前勝手な解釈になっていないか？　と、何度も自問を繰り返しながら……。

最終的に決断できたのは、彼のご両親にお会いし、相談したときに、お母様から「書いてください」という言葉をいただいたからです。この場を借りて、重ね重ね、お礼申し上げます。本当にありがとうございました。


旅が終わってからは、執筆活動のかたわら、あちこちで講演をやっています。各地の写真をスクリーンに映しながら、みなさんに世界一周旅行を疑似体験してもらい、そのうえでいろんなテーマに沿った話をします。

そのなかで、お客さんから「次の夢は？」という質問がよく出されます。「次に行きたいところは？」と聞かれる方も多いです。

いまのところ、大きな旅に出る予定はありません。その方面の好奇心や欲望はほどよく満たされたようです。

あるいは、いつか再び旅の虫がウズウズし始めるかもしれませんし、そのためにオーストラリアをとっておいたりしたわけですが、いまは落ち着いたものです。

ただ、夢が終わって、野望が消えたかというと、そうではありません。むしろ、この旅よりも困難なものにチャレンジしようとしています。それがどういったものかは、恥ずかしいのでここでお伝えすることは控えますが、もしうまくいけば、なんらかの形でお知らせできるかもしれません。

この旅は多くの方のご支援があって、成し遂げられたものです。ゴールドウィンの田口稔さん、HCSの池上忠さん、スター商事の佐々木幸成さん、岩井サイクルの岩井満郎さん、アズマ産業の伊美義勝さん、広島サイクルフォーラムの土井さん&滝川さん、Jaccの池本元光さん、そのほか、ここには挙げられないたくさんのみなさま、本当にありがとうございました。

ロンドンの情報誌、週刊ジャーニーの編集長、手島功さん、副編集長の石野斗茂子さんには公私にわたって、感謝しつくせないくらいにお世話になりました。

そして、ロンドンで小汚いぼくを雇ってくれたうえに、帰国後、東京の住まいを一時期提供してくださるなど、息子のようにぼくを可愛がってくれる高畠末明さんに晴美さん、そして柳田光枝さん、いつも感謝しています。

また井上晴美さんにはいろんな面でお世話になりました。本当にありがとうございます。

この本の出版にあたっては、実業之日本社の大森隆さん、クロスの太田竜郎さんには多大な時間を割いていただき、本当にお世話になりました。適切なアドバイスはとても勉強になりましたし、「おもしろい」とおっしゃってくださったときは単細胞ゆえ、天にも昇る気持ちで、ますます書く力がわきました。この場を借りてお礼を申し上げます。

原稿執筆にあたって、いろいろとアドバイスや叱咤激励をくれた、アキ、ヤスダくん、スー、ジュン、タカツキ、クミさん、ヤノ、マユ、ミエコさん、その他多くのみなさま、本当にありがとうございました。

二〇〇三年　秋

石田ゆうすけ

# 文庫版あとがき

帰国してから四年になります。
と、書いたところで心もとなくなり、自分の本を取り出して確認してしまいました。

正直なところ、旅の日々はもっとずっと昔のことのように思えるのです。荒野を自転車で走り、大地に寝るといった毎日を、自分が本当に過ごしていたのかどうか、疑わしくなるぐらいに。

講演でスライドショーをやっているときも、スクリーンに映っている自分を見て、ときどき不思議な気分になります。いまの自分とは別の人がそこにいるような気がします。

いまは旅をしていたころとはかけ離れた生活を送っています。取材で外に出かける以外はずっと家にいて、パソコンで原稿を書くという毎日。ギャップが大きい分、過去への違和感も強いのかもしれません。

単行本のあとがきに「一冊では伝えきれないものがたくさんあるので、機会があれば、そちらも書いてみたい」と記しましたが、おかげさまでそれは実現しました。一作目の『行かずに死ねるか！』とは違った切り口から、二冊の本を出させていただきました。同じく単行本のあとがきに「旅よりも困難なものにチャレンジしようとしている」と書きましたが、それへの第一歩は、この四年間で踏み出せたように思います。

自転車旅行は多少ハードですが、自転車で通勤、あるいは通学できるぐらいの体力があれば、あとはやる気しだいでできます。でも、フリーでものを書くという仕事を続けるには、情熱ややる気だけでは足りません。人から評価されることが必須となります。これから先の道のりを考えると、自分はまだ〝入り口〟に立ったばかり。前方に広がっている世界を思うと、その巨大さに気が遠くなります。ちょうど、新しい自転車を持ってアラスカに降りたったときのように。不安もありますが、でもその何倍もわくわくし、充実しています。

文庫化にあたって、久しぶりに単行本を読み返し、全文書き直すことに決めました。〝旅を終えた直後〟という、いまでは手に入れることのできない新鮮さと勢いが、単行本の文章には表れているのかもしれませんが、これから新しく刊行する作品として考えた場合、自分のなかではちょっと受け入れがたいものを感じたからです。

また、ページ数の関係で単行本には載せられなかったエピソードも加えました。すべてを終えたいま、まったく新しい作品を書き上げたような感触と、『行かずに死ねるか！』がやっと完成した、という思いの両方があります。もっとも、数年後に読み返すと、また書き直したくなるのでしょうが……。

本書の出版にあたっては、編集の藤原さんにたいへんお世話になりました。的確なコメントと温かいお言葉には本当に助けられました。また、デザインの太田竜郎さん、男気を感じましたよ。今回もすてきなデザインをありがとうございます。そして、お忙しいなかで拙著に時間を割いてくださった椎名誠さん、解説を引き受けていただけると聞いたときは飛び上がりそうになりました。深くお礼申し上げます。

そのほか、本書の出版に関わったすべてのみなさま、そして読んでくださったみなさまに、心より感謝申し上げます。ありがとうございました。

二〇〇七年　春

石田ゆうすけ

# 解説

椎名誠

まあざっくばらんに書きます。

編集部からこの本の解説を、と言われて概要を聞き、そういう本が出たら必ず買って読むだろうなと思ったので、感想文を書かなければいけないのは面倒だけど、どうせ読むのなら後でも先でも一緒だ、という気分で引き受けた。

はじめに断っておくけれど、文庫などの解説は苦手である。しっかり読んできちんと奥まで理解しないとなかなか書けないからだ。けれど著者の名前を聞いて、かなり明確に見覚え・聞き覚えがあった。石田ゆうすけさん。なんだ、ほんの数週間前に読んだ『洗面器でヤギごはん』の著者ではないか。それならきっと面白そうだというので、ゲラが届くのを楽しみにしていた。以下は解説などというのではなく、率直な感想である。

自分が旅が多いからだろうが、旅ものの本はかなり読む。古今東西いろいろなスタイルのものをどんどん読む。その中でも好きなジャンルのランクがあるが、一番は航海記、中でも漂流もの。二番は長距離を歩いたり自転車で行ったりするもの。これらはいずれも自分がやりたかったけれどできなかった旅のスタイルだから、という理由があるような気がする。

歩いたり自転車で長距離を行く旅はどうしてもサバイバルの要素が強くなる。つまり冒険だ。もうひとつ、これらの旅は一人で行くことが多いので旅人はかならずなにかを考える。風景や人々を眺めてその国のことを考えるのは当然として、最終的には内側を見つめ、自分のことを考える。つまり人生や生きていくことの意味といったものを自然に思考するようになる。それは旅人が意識するしないにかかわらず、その手記に表れてくるものだ。

この本が優れているのは第一番にそのスケールだ。七年四カ月という一人旅は世界のいろいろな旅の記録の中でもなかなか見ない。いや、旅の時間的長さという意味では、実際にはそれ以上の人がいるのをたくさん知っている。ただしそれは往々にして旅先のその土地にしばらく住みついてしまったりして時間がかかるケースで、それを旅といえるのかどうかわからない。定義的にいうならば移動していかなければ旅とはならないのだろう。その意味でこの著者の体験記は記録的だろうと思う。

ぼくの読んだ本の中では『世界最長の徒歩旅行』（ジョージ・ミーガン　中央公論社）で、これはパタゴニアのフエゴ島からまっすぐ南米大陸を北上し、合衆国を過ぎてカナダまで七年がかりで歩き続けた記録だ。途中でヨシコさんという日本人女性と結婚し、しばらく一緒に旅をするが、途中で妊娠し、出産のため妻は日本に帰る。生まれた娘はアユミと名づけられ、しばらく三人で北上するが、また妻は妊娠し、日本で出産。第二子の男の子はススムと名づけられる。全編がほんわりとヒューマンだが、旅そのものは命がけであった。

徒歩よりも自転車のほうがやはりスピーディーで、この著者は今の徒歩で行ったイギリス青年とは逆に、北米からパタゴニアまでほぼ二年足らずで移動してしまう。

この旅の記録で二番目に優れていると思ったのは、著者の観察力だった。旅の合間に出会うたくさんの人々を、必要以上の意味づけをせず、かなりさりげなく、しかし結果的にはいきいきと正確にとらえ、そのひとつひとつのエピソードがドラマをはらんできちんと描写されている。

例えば、アルゼンチンとチリの国境付近で出会ったアルベルトという無表情な青年との邂《かい》逅《こう》は感動的だ。ほとんど会話らしい会話もなく、紅茶とパンぐらいしか食べていないのだが、その寂寥《せきりょう》とした中での人と人との熱い出会いが素直に語られていて、静かでありながら力強い小説を読むような感動を覚えた。

他にも巨大キノコ頭の男や人嫌いのジムとの出会い。ヨーロッパに移って、キノコ売りのじいさんとのちょっとしたやりとりの中で生まれる人間ドラマ。エストニアで出会ったタイシアという娘との、読むものにとってはかなり緊迫した感情のすれ違う淡い男女のふれあい。アイルランドで出会ったエイコさんという不思議な日本女性と行く小さな旅のエピソード。

それらのひとつひとつが小説家から見ると豊饒なドラマの卵そのものである。書かれているエピソードから伝わってくる感情のほとばしりや起伏の顚末《てんまつ》を読者はそれぞれの感覚でとらえていくしかないのだろうが、思えば著者は贅沢な旅をしているのである。

自転車旅の本は他にもいくつか読んでいる。日本を一周する旅やシルクロード、あるいはアフリカ、アジアのいくつかの国、とさまざまな国を行く旅本を読んだ。そこでもときどきそんなことがあるのかと驚いたのは、旅先で偶然出会った同じような旅人（自転車旅をする人をチャリダーというのだと知った）と、かなり随所で再三出会うということだった。日本の何十倍もあるようなエリアを、きっちりしたルートや宿泊予定地も決まっていないチャリダーたちがたびたび思いがけないところで出会っているのを知り、びっくりするのと同時に、ホントなのか？　と思った。

たびたび出会うキヨタくん、セイジくんなどは、読者にとってはまるで周到に計算された旅小説の主要なサブキャラクターのような親しみさえ持ってしまい、それらの人がアフリカのモザンビークの先で出会い、三人も四人ものチャリダー軍団を結成してどんどん進むところなど、この本を一本の映画のようにとらえると、明るいクライマックスの巨大なシークエンスのようだ。

でも実際にはこれらは本当に偶然の出会いであることを知り、旅のもうひとつの面白さが見えてくる。なるほど、自転車で旅をする場合はいかに何千キロという長距離のエリアにあっても、進んでいく方向が同じであるかぎり、後になり先になりはすれどもどこかで出会う公算が大きいのだろう。旅の途中でインターネットが急速に充実し、それぞれの旅人たちがそれによって連絡しあうことができるということを知り、さらに納得した。

出会いは必ずしもいいことばかりではなく、読者もおそらく気をもんで読んだであろうが、南米のペルーで遭遇するピストルを持った賊の三人組の襲撃は衝撃的だった。ちょっと間違えれば確実に殺されているケースだが、最後に一人が何のつもりだったのかいったん下ろしたパンツをわざわざ上げにくるエピソードなど、驚愕的なクレイジーユーモアだ。

このぼくの感想文を読んでいる人が本文を読んだ後であることを願うが、その一方で、旅で出会ったかけがえのない友人の死を著者は旅の途中で知ることになる。七年も旅をしていると、これほどまでにすさまじい衝撃のドラマが入り組んで現れるのか、とこれもまたぼくは大いに驚いた。

こうしたエピソードをベースにして、著者はじわじわと自分の思考を深めている。これが三番目にこの本の優れているところだとぼくは思った。今、日本ではやりの言葉に、癒しであるとか自分探しの旅などというものがあるが、まあそういっては悪いけれど、週末の二泊や三泊の温泉旅行で、本当になにかの憂いが癒され、自分のなにかを探せるのだったら、人生はもっとらくらくと過ごせていけるだろう。この本を読むと、自分の体を必死に動かし、いくつもの「へこたれ」や「闘志」や「耐え」や「挑み」の感情を持った上で出会った風景でないと、風景はその人に語りかけてこないという厳しい物理的な現実を、ぼくもときに実感することがある。

著者は、例えば、ピラミッドやマチュピチュなど、世界観光的に有名な場所に行き着いたとき、あまりにもスケール感が違うのに驚いている。想像したり予想していたよりも遥かに小さいのだ。それはぼくもいろいろな世界の旅で感じていたことだった。観光ジャーナリズムが大げさに煽《あお》り立てすぎるからだろうと、そのへんの理由は見当がつく。

著者が想像よりも大きいと感じたのが、カンボジアのアンコールワットで、これはぼくも同じ感想を持った。けれどその中で出会った小さなピラミッドに、著者はもっと大きなものの価値を見つける。このエピソードは最後のほうになるが、これだけ長い旅をしてきた旅人の観察力が、多分ここで極めて内精神的に鋭敏になってきたのだろうと、ぼくは勝手に推察した。

そうなのだった。この本は読みだして一気に半日ほどで読み終えてしまったが、著者の旅しているほとんどの場所をぼくはこの目で見ているのだ。しかしぼくの旅は飛行機や車でずんずん飛ばしていく仕事の旅がほとんどであったから、同じものを見ていてもかなりぞんざいであったことをあらためて知った。その意味で、この著者の本には最初から最後まで頭が下がりっぱなしである。

もうひとつつけ加えるとこれまでたくさん読んできた旅本の中でも、この著者は相当に文章がうまい。それがこの本の四番目に優れたところと思った。欲をいえば、もう少しその土地土地で出会った庶民の生活、衣食住のありさまやそこで食べたもの、あるいは旅する者の衣食住のいわゆるサバイバルのノウハウといったものが書き込まれていればいいなと思ったのだが、よく考えたら、この本の前に読んでいた『洗面器でヤギごはん』にその部分だけ抜き出してたっぷり書かれているのであった。

それからもう一つ、これは言わなくてもいいのだろうけれど、ぼくはこの『行かずに死ねるか！』というタイトルは正直にいってあまり気に入らない。もう少しさわやかなタイトルでよかったのではないだろうか。とはいえ全体を通して、とにかくこれは日本の青年が挑んだ、繊細かつ逞《たくま》しい大冒険記である。

——作家

【走行ルート】

……… 飛行機、船、バス、鉄道などの交通機関を使用

この作品は二〇〇三年十月に実業之日本社より刊行されたものを大幅に加筆・訂正したものです。

また、本書は一九九五年夏から二〇〇二年末までの旅をまとめたものであり、本文中の価格、登場人物の年齢などは当時のままとしました。

# 幻冬舎文庫

●最新刊
## 日本一勝ち続けた男の勝利哲学
加藤廣志

高校バスケ界の王者、能代工の強さの秘密とは？ 組織力の鍛え方、人作りの極意、後継者の育成などビジネスにも通じるリーダーの心得が満載。元監督による燃えるような熱い指導論、文庫改訂版。

●最新刊
## 警察の裏事情
誰も書かなかった警官の本音とタテマエ
北芝　健

情報屋からネタを買うのは自腹？　犯人は現場に戻ってくる？　警視総監は何がもらえる？　サスペンスドラマより刺激的！　誰も書かなかった、警察の知られざる内部事情が満載。

●最新刊
## 上京十年
益田ミリ

イラストレーターになりたくて貯金200万円を携え東京へ。夢に近づいたり離れたり、時にささやかな贅沢を楽しみ、時に実家の両親を思い出す。東京暮らしの悲喜交々を綴るエッセイ集。

●最新刊
## わたしの旅に何をする。
宮田珠己

「たいした将来の見通しもなく会社を辞め、とりあえず旅行しまくりたいと考えた浅薄なサラリーマンのその後」を描いた、著者同様に出たとこ勝負の旅エッセイ。

●最新刊
## ひとり旅の途中
森下典子

失恋の痛手から回復する過程を描いた「あ、春だ」、失われた時間の尊さを綴った「木蓮の花を見ていた父」など全20編。大人になって知った人生の「本当のこと」を紡ぎ出す珠玉のエッセイ集。

# 行《い》かずに死《し》ねるか!

## 世界《せかい》9万《まん》5000km自転車《じてんしゃ》ひとり旅《たび》

石田《いしだ》ゆうすけ

平成19年6月10日　初版発行
令和2年7月25日　29版発行

発行人――石原正康
編集人――菊地朱雅子
発行所――株式会社幻冬舎
〒151-0051東京都渋谷区千駄ヶ谷4-9-7
電話　03(5411)6222(営業)
03(5411)6211(編集)
振替00120-8-767643
印刷・製本―中央精版印刷株式会社
装丁者――高橋雅之

検印廃止


幻冬舎文庫

ISBN978-4-344-40959-0　C0195　い-30-1